BIBLIOTH
Wijkbibliothe
Schoo
4841 XC PRINSENBEEK

Omslagontwerp:	Erik de Bruin, www.varwigdesign.com
	Hengelo
Lay-out:	Christine Bruggink.www.varwigdesign.com
Foto omslag:	Theo Mulder
Druk:	Koninklijke Wöhrmann
	Zutphen

2e druk, 2008

ISBN 90-76968-99-3

© 2006 Uitgeverij Ellessy
Postbus 30227
6803 AE Arnhem
www.ellessy.nl

Niets uit dit boek mag worden verveelvoudigd en/of openbaar gemaakt door middel van druk, fotokopie of op welke andere wijze ook, zonder voorafgaande schriftelijke toestemming van de uitgever.

DE POLDER-MOORDEN

Misdaadroman

GERARD NANNE

BIBLIOTHEEK·BREDA
Wijkbibliotheek Prinsenbeek
Schoolstraat 11
4841 XC PRINSENBEEK

Wat al gebeurd is, duurt het langst

1

Tegen half zes werd het droog. Op dagen als deze vervloekte Dennis Rigby zijn baantje als krantenbezorger. Hij had het eerst afgewacht, maar om kwart voor vijf, terwijl de regen nog met bakken naar beneden kwam, was hij op zijn fiets gestapt om de wijk in te gaan. Een rot wijk. Zeventig adressen. Vorig jaar had hij er honderd, en had hij een kwartier korter werk. De woningen in de polder lagen soms wel vijfhonderd meter uit elkaar en stonden vaak meer dan dertig meter van de weg. Meerdere abonnementhouders stonden crop dat de krant niet in het postkastje aan de weg, maar bij de voordeur werd bezorgd. "Voor jou tien anderen", zei Van Dam toen hij daartegen had geprotesteerd. Morgen zou hij er weer wat van zeggen. Van Dam moest niet denken dat hij gek was.

Met krachtige slagen trapte hij tegen de harde zuidwesterwind. Eén adres nog. Het was aardedonker. Nergens brandde licht. Gelukkig kende hij de wijk uit zijn hoofd. De adressenlijst had hij niet meer nodig, hoewel hij hem voor de zekerheid altijd nog in zijn fietstas had liggen.

Over een halfuur zou hij thuis zijn.

De gedachte dat moeder hem dan zou opwachten met het ontbijt vrolijkte hem op. Sinds vader de deur uit was gegaan, was de stemming in huis een stuk draaglijker geworden. Toch miste hij hem wel, zijn vader. Soms was hij best aardig. Niet altijd. Meestal niet. Als hij gedronken had, kon je maar beter uit zijn buurt blijven. Maar als hij nuchter was, kon je altijd bij hem terecht. Was hij ook best bereid te helpen bij het huiswerk. Wiskunde, daar was vader een kei in.

Zodra hij nummer zeven naderde, onderbrak hij de gedachten aan zijn vader. De familie Buskers. De laatste. Aardige mensen. Gelukkig mocht hij daar de krant in het postkastje gooien. Bij de vorige, bij nummer drie, moest hij deze aan de voordeur brengen. Een lage brievenbus. Zo'n ouderwetse met een strakke veer, waardoor je beide handen nodig had om de krant erin te wurmen.

Hij keek naar het huis van de familie Buskers. De vrouw stond weer in de deuropening. Soms kwam ze naar buiten om de krant van hem aan te nemen. Ze zei nooit wat, maar lachte altijd naar hem.

Boven hem hing een zware bewolking. Het was nog niet gebeurd met de regen, vreesde hij.

In de verte doemden twee koplampen op. De auto voerde groot licht en reed langzaam. De lichten verblindden hem. Blijkbaar was de automobilist hier niet bekend. Uit voorzorg ging hij wat meer rechts fietsen. Hij vertrouwde het weifelachtige rijden van zijn tegenligger niet. Zonder licht op zijn fiets zou hij in deze zwarte polder een makkelijke prooi betekenen. Misschien zou het zelfs beter zijn om af te stappen. Voor de duiker, waar de weg zich versmalde, kon hij wachten totdat de auto hem was gepasseerd.

Hij reed naar de kant, maar was niet bedacht op de zachte berm. Het voorwiel zoog zich onmiddellijk vast in de weke grond. Hij vloekte en hield zich met moeite staande. Toch had hij niet kunnen voorkomen dat zijn rechtervoet tot aan zijn enkel in de zompige klei belandde. Hij vloekte opnieuw. De voet had zich vacuüm gezogen. Na twee heftige rukken schoot deze los. Maar dit gebeurde met zoveel kracht dat hij zijn evenwicht verloor en met fiets en al op de rijweg belandde. Op het zelfde moment zag hij de auto naderen. Die klootzak zou hem toch wel zien?

Hij gaf een schreeuw, pakte zijn fiets en wilde overeind komen, maar het was al te laat. Zijn hoofd knalde tegen de bumper. Na twee keer om zijn eigen as te zijn gedraaid, rolde hij langs het steile talud de diepte in. Daarna volgde een doffe plons.

2

Frank Benders legde voor de derde keer deze morgen de hoorn terug op het toestel. Het was, gezien de tijd van het jaar, ongewoon druk. Februari was doorgaans rustig, maar blijkbaar was aan deze traditie een einde gekomen. De tweede helft van de maand was nauwelijks begonnen of er waren al drie meldingen die om zijn aandacht vroegen.

De eerste melding had hem niet verontrust. Hoewel de moeder daar waarschijnlijk anders over dacht. Ze meldde vanmorgen om kwart over acht dat haar zoon nog niet was teruggekeerd van zijn krantenwijk. Uit het verwarde verhaal had de dienstdoende brigadier op kunnen maken, dat de jongen normaal gesproken uiterlijk om half acht terug had moeten zijn van zijn wijk. De brigadier had geïnformeerd, maar er waren geen meldingen binnengekomen van verkeersongevallen en bij navraag bleken er geen personen te zijn binnengebracht in de regionale ziekenhuizen die voldeden aan het signalement van de jongen die Dennis Rigby heette.

De tweede melding betrof een autodiefstal. De zoveelste al van deze maand. Benders schoof deze notitie terzijde om vervolgens de derde melding de aandacht te geven die deze verdiende.

Hij deelde de zorg van de man die hem had gebeld. "Mijn buurman is een man van vaste gewoontes", was de stellige boodschap. "Hij opent iedere morgen om exact zeven uur het hek van zijn opslagterrein. Dat doet hij al twintig jaar, maar deze morgen bleef het hek gesloten. Ik ben om tien voor half negen poolshoogte wezen nemen en zag dat de ruit van de keukendeur kapot was geslagen. Ik vertrouw het niet. Ik zou willen dat u langskomt."

Benders had aan de stem van de man kunnen horen dat het hem ernst was. Dat zijn onrust niet gespeeld was. Hij keek op zijn horloge en zag dat het precies half negen was. Paula was er nog niet. Hij vroeg zich af hoe dit kwam. In tegenstelling tot hemzelf was zijn assistente iemand van de klok. Zelden had hij haar kunnen betrappen op een uitglijder. Hij pakte de telefoon en begon haar nummer in te toetsen. Pas bij het laatste cijfer drong het tot hem door. Snel legde hij de hoorn weer terug. Het was vandaag vrijdag. Paula zou niet komen. Het was haar vaste vrije dag. Hoewel hem dit al meer dan een jaar bekend was, overkwam het hem nog dikwijls dat hij zich vergiste. Snel noteerde hij het adres dat de man had opgegeven, en pakte zijn jas van de kapstok. Eenmaal op weg voelde hij dat zijn onrust was toegenomen.

*

De man stelde zich voor als Henk van Amerongen. Hij wees Benders naar een plaats schuin aan de overkant, waar op ongeveer honderd meter afstand de woning en het bedrijfspand van zijn buurman stonden, en vroeg of het noodzakelijk was, dat hij meeging.

Benders schudde zijn hoofd. 'Tot waar hebt u gekeken?', vroeg hij.

'Tot de keukendeur. Het leek me beter niet verder te gaan, ik bedoel...., stel dat....'

Benders knikte. 'Was de deur op dat moment gesloten?'

'Ik geloof het wel. Hij stond in ieder geval niet wagenwijd open.'

'U hebt de deurkruk niet in uw handen gehad?'

De man keek hem aan alsof alleen de gedachte daaraan hem al van streek maakte. 'Nee', zei hij beslist, 'dat heb ik niet.'

Op hetzelfde moment kwam een vrouw, van wie Benders vermoedde dat het de echtgenote was, naar buiten en vroeg aan Benders wat er was gebeurd.

'Dat weet ik nog niet', antwoordde hij naar waarheid. 'Ik ga nu poolshoogte nemen.'

'Bent u alleen?', vroeg de vrouw.

Benders zag aan de uitdrukking op haar gezicht dat haar dit verbaasde. Hij had eerst overwogen om Kootstra mee te nemen, maar nadat de Friese rechercheur te kennen had gegeven dat hij zijn handen vol had aan de autodiefstallen van de afgelopen tijd, had hij besloten om alleen te gaan.

'Ja', antwoordde hij, 'ik ben alleen. We hebben te kampen met een onderbezetting.'

De vrouw knikte. 'Doet u wel voorzichtig', zei ze bezorgd. 'Er is ook een hond, een dobermannpincher. Hij houdt niet van vreemd volk.'

Benders knikte en liep naar de overkant van de weg. Het pand waar Van Amerongen het over had gehad, was omzoomd met een hoge coniferenhaag. De haag werd in het midden onderbroken door een stalen hek, dat was bevestigd aan twee gemetselde pilasters. Daarachter bevond zich een opslagterrein. Het hek was nog steeds gesloten, maar naast de linkerpilaster was het door een gat in de haag mogelijk het terrein te betreden.

Benders bukte zich om door de opening te gaan en merkte daarbij dat zijn rug heftig tegen deze actie protesteerde. Eenmaal door de haag kwam hij voorzichtig overeind en greep met een van pijn vertrokken gezicht naar zijn onder-rug. Hij zou er beter aan doen dit soort acties voortaan aan de jeugd over te laten. Hij werd hier te oud voor. Hij had van Kootstra moeten eisen om mee te gaan en hem het vuile werk laten opknappen. Maar even zo goed wist hij, dat hij ook dan als eerste door de haag zou zijn gekropen.

Op het opslagterrein zag hij pallets met goederen, waarvan hij vermoedde dat deze bestemd waren voor agrarische doel-einden. Plastic balen, waarop allerlei gewassen stonden afge-beeld bevestigden dit vermoeden. Het terrein had de grootte van een tennisveld en was voorzien van een betonnen vloer. Blijkbaar was er niet gezorgd voor een behoorlijke afvoer, want in het midden stond een grote plas water.

Benders begreep dat dit was veroorzaakt door de overvloedige regen van de afgelopen nacht. Vanmorgen had hij in de krant gelezen, dat er vandaag een einde zou komen aan de regen van de laatste dagen. De wind zou naar het oosten draaien.Volgens de weerkundige zou er de komende dagen een vorstperiode aanbreken die op zijn minst enkele dagen zou aanhouden.

Benders rilde bij die gedachte en versnelde zijn pas, alsof hij de kou nu al wilde ontvluchten. Van Amerongen had hem gezegd dat de keukendeur zich aan achterkant van het huis bevond.

De woning stond gescheiden van het bedrijf en was via een smal grindpad te bereiken. Hij liep rond het huis. Aan de achterkant stonden enkele appelbomen, en wat vlierbesstruiken. Aan het eind van de tuin zag hij een houten, chaletachtig tuinhuis waarop de naam "Zonnewende" stond geschilderd.

Nadat hij om de aangebouwde keuken heen was gelopen, ontdekte hij de keukendeur waarover Van Amerongen had gesproken. Benders zag onmiddellijk, dat de deur openstond. De ruit was van buitenaf ingeslagen. Met zijn voet trok hij de deur verder open en riep tweemaal luid: 'Hallo!! Hallo!!'

Hij bleef stil staan luisteren. Er gebeurde niets. Hij stapte voorzichtig over de glasscherven naar binnen. Midden in het vertrek bleef hij een ogenblik staan. Plotseling overviel de stilte hem. Het was de stilte van een huis dat leeg was. Van een huis dat al jaren niet meer werd bewoond.

Maar dit huis was niet leeg. Dit huis werd bewoond. Toch was het stil. Waarom? Op het aanrecht stonden een paar kopjes en wat glazen. In de kopjes zag hij de restanten van koffie. Nog niet ingedroogd. Blijkbaar hadden de bewoners hier gisteravond laat nog koffie gedronken.

Naast de keukentafel stond een grote hondenmand. De dobermann, dacht Benders. Waarom reageert de hond niet? "De dobermann houdt niet van vreemd volk", had mevrouw Van Amerongen gezegd.

Er waren twee deuren in de keuken. Ouderwetse paneeldeuren met bovenlichten van glas-in-lood. De deur, waarvan hij het vermoeden had dat deze hem naar de gang zou leiden, stond enkele centimeters open. Benders duwde er voorzichtig met zijn voet tegen. De deur opende zich piepend, alsof hij protesteerde. Alsof hij liever niet had dat hij verder zou worden geopend. Een seconde later bleef Benders geschokt staan. Voor hem zag hij het antwoord op zijn vragen.

*

'Gaat u alstublieft naar huis. Ik vertel u straks wel wat er is gebeurd.'

Van Amerongen droop af. Hij was voor het gat van de haag blijven wachten op de terugkomst van Benders en had hem vragend aangekeken.

Benders voelde niet de behoefte de man te vertellen wat hij had ontdekt. Voorzover hij in staat zou zijn geweest de gruwelijke vondst te verwoorden. Hij probeerde het beeld van zijn netvlies los te weken en zich te concentreren op de procedure die hij moest volgen.

Na drie telefoontjes bleef hij een ogenblik besluiteloos staan. De gedachte terug te keren naar de plek die hij zojuist geschokt had verlaten, stond hem tegen. Hij wachtte liever tot zijn collega's hier zouden zijn.

In de tussentijd dacht hij terug aan de andere melding van deze morgen. Aan de moeder die had gebeld over het niet op tijd terugkomen van haar zoon van zijn krantenwijk. Hij vroeg zich af hoe serieus hij dat moest nemen. Het was altijd moeilijk om de ernst van dat soort meldingen in te schatten. Hij had het in zijn loopbaan slechts één keer meegemaakt dat een vermissingzaak verkeerd afliep. Dat was al weer meer dan twintig jaar geleden. Het betrof toen een jongen van negen jaar die twintig uur na de melding levenloos werd aangetroffen op een verlaten bouwterrein. De jongen was spelenderwijs onder een bouwlift terechtgekomen en vermorzeld. Maar in verreweg de meeste gevallen ging het om weggelopen pubers of was er sprake van een misverstand.

Benders schrok op van een gillende sirene. Hij vloekte. Er was geen enkele reden om dat kreng te laten loeien. De bewoners van Oostdorp zouden er door worden opgeschrikt en binnen een mum van tijd zou het hier zwart staan van het volk.

Een ogenblik later zag hij Kootstra met piepende banden de hoek om komen rijden, gevolgd door een surveillancewagen. Benders vloekte voor de tweede keer.

'Idioot!', siste hij tegen Kootstra, zodra deze het portier had geopend. 'Hoe haal je het in je botte hersens om met zoveel kabaal door dit dorp te rijden.'

Kootstra stapte uit en keek Benders strijdlustig aan. 'Je had zelf gezegd onmiddellijk te komen', zei hij.

'Je kunt ook onmiddellijk komen zonder sirene te voeren', beet Benders hem toe.

Kootstra schudde zijn rossige hoofd en sloeg het portier met kracht dicht. 'Waar is het?'

Benders wees zwijgend naar het huis achter de coniferenhaag. 'Zet eerst de boel af', beval hij vervolgens. 'Ik heb weinig trek in pottenkijkers.'

Ze stonden zwijgend voor de geopende deur. Benders knikte naar Van der Zanden. De politiefotograaf haalde met trillende handen de apparatuur uit zijn tas.

'Godverdomme', vloekte Kootstra.

Benders zag aan de verbeten trekken van de jonge rechercheur dat hij moeite had de aanblik te trotseren. De dobermann lag met opengereten buikwand aan zijn voeten. Zijn ingewanden lagen verspreid over de lichte plavuizen. Alsof ze waren uitgekotst. Daarachter lag een man op zijn rug. Zijn hoofd, dat voor het grootste gedeelte van zijn romp was gescheiden, lag half gedraaid tegen de kop van de hond. Achter hem, nog hangend met haar onderlichaam op de trap, lag een vrouw met haar hoofd plat op de tegelvloer.

Benders gebaarde hulpeloos met zijn handen, alsof hij zich wilde excuseren voor dit beestachtige tafereel.

Na enkele seconden, die als minuten voelden, was het Westphal die als eerste sprak. 'Laten we ons niet langer kwellen dan strikt noodzakelijk', zei hij. De schouwarts stapte over de drempel en toog aan het werk. Een kwartier later werden de dode lichamen afgevoerd.

Toen Benders naar buiten stapte, voelde hij dat het kouder was geworden. Dat de wind naar het oosten was gedraaid. Hij negeerde de vragende blikken van de omstanders en liep naar zijn auto. Zodra hij was ingestapt, overviel hem een gevoel van onwerkelijkheid. Alsof hij ontwaakte uit een boze droom.

3

'De familie is op de hoogte gebracht', zei Nikka Landman. 'Kooiman had twee zoons en een dochter. De vrouw was niet hun moeder. Zij was Kooimans tweede vrouw.'

'Wonen ze hier in de buurt?', vroeg Benders.

Nikka knikte. 'De oudste zoon en de dochter komen vanmiddag naar het bureau. De jongste zoon woont in België. In Antwerpen.'

Benders kon aan haar stem horen hoe ze nog van haar stuk was van het gebeurde. Hij had dat al gemerkt, nadat hij haar vanmorgen vroeg verslag had uitgebracht. Bij het aanhoren van zijn verhaal had ze voortdurend met haar ogen geknipperd en had nauwelijks een woord uit kunnen brengen. Misschien had hij wat minder gedetailleerd moeten zijn en wat meer rekening met haar gevoelens moeten houden.

'Je krijgt veertien man', zei Nikka.

Benders keek haar verbaasd aan. De toezegging verraste hem. In zijn gang naar de commissaris bereidde hij zich normaliter voor op tegenwerking. Hij besefte dat zijn ervaring met de vorige commissaris daar debet aan was. Haarsma was een week geleden vertrokken. Hij had ervoor gekozen zijn carrière voort te zetten bij een beveiligingsbedrijf en werd opgevolgd door Nikka Landman. Nikka was haar loopbaan bij de politie dertig jaar geleden begonnen. De afgelopen vijftien jaar was ze als beleidsmedewerkster voor de regio zuid van de provincie Utrecht werkzaam geweest. Ze werd geroemd om haar bestuurlijke kwaliteiten. Bij zijn eerste kennismaking had Benders de indruk gekregen dat ze nogal afstandelijk was, maar hij besefte dat dat ook aan hemzelf kon liggen.

'Denk je daar genoeg aan te hebben?', vervolgde Nikka.

Benders knikte. 'Voorlopig wel', antwoordde hij.

'Zijn er in de afgelopen tijd vergelijkbare roofovervallen gepleegd?'

'Niet van een dergelijke omvang', zei Benders. 'Drie maanden geleden heeft er een gewapende overval op een keukenzaak plaatsgevonden, maar bij deze overval waren geen slachtoffers gevallen.'

Hij zag dat ze dit noteerde en daarbij een bril had opgezet. Even later schoof ze het notitieblok opzij en nam haar bril weer af. Nadat ze ook haar pen had neergelegd, keek ze hem aan en vroeg: 'Wat ging er door je heen?'

'Wat bedoel je?'

'Wat voelde je? Wat deed het persoonlijk met je?'

Benders keek verrast. Hij kon zich niet herinneren dat hem ooit eerder was gevraagd wat hij persoonlijk had gevoeld bij een misdrijf.

'Afschuw', antwoordde hij. 'Ik voelde uitsluitend afschuw.'

'Je hebt dit vaker gezien en daar heb je mee leren leven. Hoe heb je dat gedaan?'

Benders haalde zijn schouders op. 'Daar weet ik geen antwoord op', zei hij. 'Er bestaat niet zoiets als een formule die voorschrijft hoe dat zou moeten worden gedaan.'

Nikka knikte. 'Ik begrijp het', zei ze. 'Hopelijk vind je dit soort vragen niet vervelend.'

'Nee,' antwoordde hij naar waarheid, 'ik vind je vragen beslist niet vervelend.'

Nikka ging staan. Ze was lang en slank. Het viel hem op dat haar bewegingen voor een vrouw van rond de vijftig snel en soepel waren, alsof de tijd geen vat op haar motoriek had kunnen krijgen.

'Ik hoop zo spoedig mogelijk een plan van aanpak op mijn bureau te krijgen', zei ze. 'Voor maandagmiddag heb ik een persconferentie belegd. Ik zou willen dat jij daarbij aanwezig bent.'

Benders knikte en kwam uit zijn stoel. 'Goed', zei hij.

'Hoewel het niet mijn favoriete bezigheid is de pers te woord te staan, zal ik er zijn.'

'Jouw relatie met de media is mij bekend', zei ze glimlachend. 'Ik beloof je dat ik deze taak in de toekomst van je over ga nemen.'

Benders keek haar dankbaar aan. 'Nog één ding', zei hij. 'Er is vanmorgen gebeld door een vrouw die zei dat haar zoon niet van zijn krantenwijk was teruggekomen. Is inmiddels al bekend of hij terecht is?'

'Dennis Rigby?'

Benders knikte. 'Zo heet de jongen, ja.'

'Nee,' zei Nikka, 'de jongen is nog niet terecht. Hij is ook niet op school geweest. Ik heb de surveillance opdracht gegeven de wijk van de jongen langs te rijden en navraag te doen. Er is vast komen te staan, dat hij zijn krantenwijk heeft afgemaakt. Alle betreffende abonnees hadden hun krant ontvangen.'

Benders vloekte. 'Ook dat nog', zei hij.

'Ik heb mevrouw Rigby beloofd er werk van te maken.'

'Als je eens wist hoeveel…'

'Ik weet heel goed dat het in vrijwel alle gevallen om weggelopen pubers gaat,' onderbrak Nikka op besliste toon, 'maar dat wil nog niet zeggen dat we de vermissing van Dennis Rigby niet serieus hoeven te nemen.' Ze keek op haar horloge en kwam achter haar bureau vandaan. 'De zoon en dochter van Kooiman zouden om half vier hier zijn', zei ze. 'Zou jij ze willen begeleiden tijdens de identificatie?'

Benders knikte zonder te antwoorden. Hij nam het verzoek in ontvangst alsof hij een mechanische pop was. De vraag van Nikka doorkruiste zijn gedachte aan de vermiste Dennis Rigby. Het was een onzinnige gedachte besefte hij. De jongen was pas vijftien jaar, maar hij had gekkere dingen meegemaakt. Met grote passen liep hij naar de deur.

'Vergeet je de zoon en de dochter niet?', riep Nikka hem na.

Benders draaide zich om en schudde zijn hoofd. 'Ik zal er zijn', beloofde hij.

*

Nadat Benders het laken had teruggetrokken, volgde een ijselijke gil. De vrouw, die zich aan hem had voorgesteld als Nelleke Verberne, trok krijtwit weg en deed verschrikt een stap achteruit. Tijdens deze actie pakte ze de hand van Benders vast en drukte haar nagels in zijn palm.

De man naast haar bleef onbewegelijk staan en knikte. 'Ja', zei hij toen kalm. 'Dat is mijn vader.'

Benders schoof met een eerbiedig gebaar het laken terug. Het had erger gekund. Ontleed en weer opgekalefaterd had de man, in tegenstelling tot wat hij vanmorgen had aangetroffen, er vredig uitgezien.

Hij keek naar de moeten in zijn handpalm. 'Wilt u...?'

Nelleke schudde haar hoofd en keek naar haar broer. 'Sorry, Walter', zei ze. 'Ik kan dit niet.'

Benders lette op de reactie van de man tegenover hem. Walter leek zich te ergeren aan het gedrag van zijn zus en zei haar dat ze het mortuarium maar beter kon verlaten.

Nadat Nelleke hier gehoor aan had gegeven, trok Benders het tweede laken terug.

Walter keek naar de dode vrouw en begon langzaam te knikken. Daarna deed hij iets dat Benders een schok bezorgde. Hij pakte eigenhandig het laken vast en smeet het weer terug, alsof hij de dode vrouw verweet zich zo aan hem te tonen.

Benders keek de man geschokt aan. Walter Kooiman had een hard gezicht en kille, grijze ogen.

Benders vroeg zich af wat hem had bezield het laken zonder enige eerbied over het gezicht van zijn dode stiefmoeder terug te smijten. Nog niet eerder had hij een dergelijke reactie meegemaakt. Identificatie van een dierbare betekende in de meeste gevallen het moeten laten varen van een laatste restje hoop. Reacties waren dan onvoorspelbaar. Hij had hartverscheurende taferelen meegemaakt. Verdriet, wanhoop, maar ook woede. Hij wist niet onder welke categorie hij de reactie van Kooiman moest plaatsen. Geen verdriet, geen wanhoop. Was het woede?

'Neem me niet kwalijk', zei Kooiman. 'Het werd me even teveel.'

Benders knikte. Aan de toon van de man kon hij niet opmaken, dat zijn verontschuldiging gemeend was.

'Hebben ze geleden?'

Benders schudde zijn hoofd. 'Nee', verzekerde hij. 'Uw vader en stiefmoeder moeten vrijwel onmiddellijk dood zijn geweest.'

'Zijn er al sporen die in een bepaalde richting wijzen?'

'Ik denk dat het beter is dat we deze ruimte nu verlaten', negeerde Benders zijn vraag. Hij ging de man voor naar de uitgang van het mortuarium en opende de deur. 'Het onderzoek moet nog beginnen, meneer Kooiman', zei hij, nadat hij de deur achter zich had gesloten. 'Wij zullen er alles aan doen zo snel mogelijk achter de toedracht van dit drama te komen', vervolgde hij.

Benders keek om zich heen of hij Walters jongere zus ergens zag, maar de gang was leeg. Daarna wenste hij hem sterkte en gaf hem een hand.

Nog niet eerder had hij zoveel kilte bij een handdruk gevoeld.

*

Op weg naar huis kon Benders aan weinig anders denken dan aan de gebeurtenissen van de afgelopen twaalf uur. Hij was onafgebroken in touw geweest en had alleen wat lauwe koffie gedronken. Zijn maag protesteerde dan ook hevig en seinde hem in dat hij ergens langs de weg een broodje moest kopen.

Na twee kilometer nam hij de afslag richting een tankstation en parkeerde zijn auto in een van de daarvoor bestemde vakken. Plotseling dacht hij eraan dat hij vandaag weer was vergeten de garage te bellen om een afspraak te maken voor de grote beurt en de APK. Dat had een maand geleden al moeten gebeuren. Hij had de herinnering van zijn garagebedrijf nota bene mee naar het bureau genomen en deze op het mededelingenbord in zijn kantoor gehangen.

Hij vloekte en stapte uit. De vrieskou sloeg onmiddellijk in zijn gezicht. Hij realiseerde zich dat hij zijn jas aan moest trekken en een shawl om zijn nek moest binden, maar toen hij het portier weer opende om deze te pakken, ontdekte hij dat hij geen jas bij zich had. Hij vloekte voor de tweede keer. Waarschijnlijk had hij hem op het bureau laten liggen.

Hij besloot weer in zijn auto te stappen en terug te rijden om hem op te halen. Tegelijkertijd ging de telefoon. Tot zijn verrassing was het zijn dochter. Femke zei direct aan zijn stem te kunnen horen dat hij chagrijnig was. De laatste keer dat hij haar had gesproken, had ze gezegd dat ze zich zorgen om hem maakte. Ze vond dat hij een chagrijnige, oude man aan het worden was. Hij had dat bestreden en haar gezegd dat er in zijn politiebestaan nou eenmaal niet altijd reden was tot vrolijkheid.

Nu ze daar weer een opmerking over maakte, raakte hij geïrriteerd. 'Het was een lange dag', zei hij. 'Ik ben moe en ik heb honger, maar ik ben geen chagrijnige, oude man.'

'Wil je dat ik weer ophang?'

'Nee', zei hij beslist. 'Ik vind het fijn om je weer te horen. Hoe gaat het?'

'Fantastisch!'

'Zo klink je ook. Hoe is het met je nieuwe baan?'

'Ik heb sinds een halfjaar een relatie. Met John. Hij heeft een aannemersbedrijf en ik doe zijn administratie.'

Benders viel stil. Femke had zijn vraag genegeerd, maar hem daarvoor in de plaats een mededeling gedaan die hem volkomen verraste. Ze was tien maanden geleden naar Nieuw Zeeland vertrokken. "Voor een jaartje", had ze gezegd. "Voor je het weet, sta ik weer voor je neus." Maar Benders voelde de twijfel.

'Ben je daar nog, pa?'

'Ja, ik ben er nog', zei hij. 'Ik moest dit nieuws even verwerken.'

'Ik had het jullie al eerder willen vertellen, maar ik wilde eerst zeker zijn over mijn gevoelens voor John.'

'En ben je dat nu, zeker bedoel ik.'

'Ja', antwoordde ze beslist. 'John is de man met wie ik verder wil.'

Benders slikte. 'Gefeliciteerd.'

Hij hoorde zijn dochter lachen. 'Lekker spontaan klinkt dat, pa.'

'Sorry, Fem', zei hij gelaten. 'Ik had gehoopt je binnen een paar maanden terug te zien, maar….'

'In het voorjaar kom ik met John naar jullie toe', onderbrak ze hem. 'Als jullie dan nog bij elkaar zijn tenminste. John wil jullie graag ontmoeten.'

Benders merkte dat zijn ademhaling zich versnelde. 'Dat is fijn', zei hij. 'Ik kijk ernaar uit.

Maar wat bedoel je met: als jullie nog bij elkaar zijn.'

'Nou kom pa, houd je nou niet van den domme. Zo lekker gaat het niet tussen jullie.'

'Heeft je moeder dat gezegd?'

'Ja, maar wees nou niet zo idioot om haar te vertellen dat je dat van mij hebt gehoord. Mama heeft me dit in vertrouwen verteld. Ze denkt erover bij je weg te gaan.'

'Ik weet daar verdomme niets van.'

'Dan weet je het nou.'

Benders slikte. Natuurlijk had hij wel gemerkt dat het al een tijdlang niet zo lekker ging, maar hij wist nog niet dat het al zover was gekomen.

'Mama zei dat je meer politieman bent dan echtgenoot en daar heeft ze natuurlijk wel een beetje gelijk in.'

'Ik hoef van jou geen preek.'

'Geen preek, maar wel een tip. Probeer eens wat meer tijd voor mama vrij te maken.'

'Ik zit tot over m'n oren in….

'Dat bedoel ik nou', onderbrak Femke hem. 'Maar goed, het is jouw leven. Waar ben je nu mee bezig dan?'

Benders vertelde zijn dochter over de zaak waaraan hij werkte.

Nadat hij zijn verhaal had verteld, zei Femke hem dat zij vond dat het zoeken naar Dennis Rigby voorrang zou moeten krijgen op het opsporen van de daders van de moorden.

Benders antwoordde dat hij dat wel begreep, maar dat het zo eenvoudig niet was. Hij zei niet wat hij werkelijk dacht. Dat hij er rekening mee hield dat de vermissing van Dennis Rigby wellicht niet los mocht worden gezien van de brute moord op het echtpaar. Die gedachte was nog te broos, vond hij. Het was een licht vermoeden dat uitsluitend was gestoeld op zijn gevoel. Op zijn intuïtie.

Nadat hij de verbinding had verbroken, besloot hij van zijn voornemen om zijn jas te halen af te zien en naar huis te rijden. Zijn hongergevoel leek verdreven. Het was negen uur in de avond. In zijn hoofd spookte voortdurend de gedachte aan een scheiding. Tegelijkertijd besefte hij hoe onzinnig deze gedachte was. Eline had er nog met geen woord over gerept.

*

Paula had met groeiend afgrijzen geluisterd naar wat Benders haar vertelde. Zodra hij de deur van hun kantoor achter zich had gesloten, was hij naar het raam gelopen om zich aan de radiator te warmen. Hij zag blauw van de kou, maar dat had hem niet gehinderd om onmiddellijk van wal te steken.

De lugubere details deden Paula besluiten haar koffie voorlopig maar te laten voor wat hij was. 'Ben je zonder jas hier heen gekomen?', vroeg ze verwonderd, nadat hij was uitverteld.

Benders wees naar de kapstok. 'Door alle commotie heb ik vrijdag mijn jas hier laten hangen,' zei hij, 'en ik had vrijdagavond geen zin meer om hem op te halen.'

Paula keek naar de kapstok en knikte. 'Denk jij dat die Dennis Rigby iets met de roofmoorden te maken gehad kan hebben?', vroeg ze, nadat Benders was gaan zitten. Ze zag gelijk dat haar opmerking hem verraste.

'Waarom zou ik dat denken?', vroeg Benders. 'Er is geen enkele aanwijzing in die richting.'

Paula haalde haar schouders op. 'Gewoon', zei ze. 'Het is zo toevallig.'

'Ik wacht op het rapport van Westphal. Het tijdstip van overlijden zou ons duidelijk moeten maken of dit vermoeden gerechtvaardigd is. Zolang dat rapport niet binnen is, wil ik niet op de zaken vooruitlopen.'

Paula keek hem aan. Ze kende haar chef te lang om zijn twijfel niet te zien. 'Toch speel jij met dezelfde gedachte', zei ze. Benders knikte. 'Ik houd er rekening mee', bekende hij. 'Maar ik hoop dat het niet zo is.'

Paula bleef hem zwijgend aankijken. Ze probeerde erachter te komen wat hij precies bedoelde.

'Ik heb de moeder van de jongen gesproken', verklaarde Benders. 'Die vrouw is stapelgek op haar zoon. In het beeld wat de vrouw van de jongen schetste, past niet het profiel van een brute moordenaar. Volgens haar is Dennis een eerlijke, gevoelige jongen, die nog geen vlieg kwaad doet. Maar we mogen daar uiteraard geen conclusies uit trekken.'

'Hebben we iets over hem?'
Benders schudde zijn hoofd. 'Nee', zei hij. 'De naam Rigby komt wel in ons bestand voor, maar dat betreft de jongen zijn vader, Colin Rigby. Hij is meerdere keren veroordeeld voor geweldsdelicten.'
'Heb je hem ook gesproken?'
'Nee', antwoordde Benders. 'De Rigby's liggen in scheiding. Colin Rigby is twee weken geleden het huis uitgegaan.'
'Heb je zijn adres?'
Benders schudde zijn hoofd en liep naar het koffieapparaat. 'We hebben hem nog niet kunnen traceren', zei hij, terwijl hij de koffie inschonk. 'Zijn vrouw wist ons niet meer te vertellen, dan dat hij waarschijnlijk bij vrienden zou zitten.'
Paula knikte. 'Dan lijkt de zaak me duidelijk', zei ze. 'Dennis zit, zeker te weten, bij zijn vader. Waar dat ook moge zijn.'
'Daar houd ik natuurlijk ook rekening mee,' zei Benders, 'maar volgens zijn moeder moeten we dat vergeten.'
Paula keek hem vragend aan. 'Waarom?', vroeg ze.
'Dennis zou meerdere keren mishandeld zijn door zijn vader. Colin Rigby werd door zijn vrouw geschetst als een tiran. "Hij was de onstabiele factor binnen ons gezin", beweerde ze. Zijn vertrek zou voor hen een bevrijding hebben betekend.'
'Ken jij die Colin Rigby?'
'Nee, niet persoonlijk. Ik heb rapporten over hem gelezen. Hij is van Britse afkomst. Het lijkt geen prettig heerschap. Hij heeft een aantal keren herrie geschopt in een kroeg, waarbij rake klappen werden uitgedeeld. De Rigby's leefden al lange tijd van een uitkering. Hij is elektromonteur, maar had al jaren geen werk meer.'
'Drank?'
Benders knikte. 'En drugs', zei hij. 'In zoverre klopt het beeld dat Eva Rigby over haar man schetste.'

Paula dronk van haar koffie 'Ik ben blij dat mij het beeld die vrijdagmorgen bespaard is gebleven', zei ze tussen twee slokken door. 'Dat had ik er echt niet bij kunnen hebben.'

Benders keek haar aan. 'Wat dan? Had je een slecht weekend?'

Ze zette haar kopje neer en knikte. 'We zijn vrijdagmiddag met Mike naar het kindercircus in de stad geweest. Wat een gezellige middag had moeten worden, werd een drama.'

'Hoezo? Was de tent in elkaar gestort?'

Paula schudde haar hoofd. 'Het begon fantastisch', zei ze. 'We zaten vooraan en Mike genoot enorm. Tot een van de clowns te dicht bij hem kwam en gekke bekken naar hem begon te trekken. Leuk bedoeld natuurlijk, maar Mike was daar nogal van geschrokken en begon te blèren. De clown was toen bij hem weggegaan en probeerde een ander kind voor zich te winnen, maar Mike was ondertussen niet meer tot bedaren te brengen.'

Benders knikte. 'Vervelend. Maar dat is toch nog geen drama?'

'Toen nog niet, nee, maar dat werd het wel toen ik iemand achter me hoorde vragen of "die zwarte" zijn bek niet kon houden.'

'Verdomme!', vloekte Benders.

Paula zag zijn oprechte woede. 'Ik was razend. Marit heeft me tegen moeten houden, anders was ik dat mens naar haar strot gevlogen.'

'Kan ik me iets bij voorstellen. Maar het was natuurlijk verstandig van Marit om je tegen te houden.'

Paula knikte. Ze voelde bij de gedachte aan het incident de woede weer naar boven komen. De rest van de voorstelling had ze nauwelijks meer beleefd en daarna had ze knallende ruzie met Marit gehad. Mike was hun geadopteerde zoon en was zo zwart als mangaan. De wetenschap dat dit soort confrontaties in de toekomst meer zouden voorkomen, vervulde haar met afschuw. Achteraf had ze aan Marit toe moeten geven dat haar agressieve houding de meest foute reactie was. Ze had haar woede niet kunnen beheersen en gereageerd als een leeuwin die haar welp wilde verdedigen.

'Ik zou willen dat je straks de onderzoeksrapporten even doorneemt', onderbrak Benders haar gedachten.

Paula keek hem aan. 'In de krant stond dat het om een ouder echtpaar gaat. Hoe oud waren ze?'

'Dat is niet waar. De man was zevenenzestig en de vrouw zesenveertig. Het was de man zijn tweede huwelijk.'

'Hadden ze kinderen?'

Benders knikte. Uit zijn eerste huwelijk had de man twee zoons en een dochter. De oudste heet Walter. Zijn zus, Nelleke, is een paar jaar jonger en als ik het goed heb onthouden, heet de jongste Vincent, hij is een nakomertje. Maar het staat allemaal in de rapporten.'

'Hoe ziet je agenda er voor vandaag uit?'

Benders stond op uit zijn stoel. 'Ik wil straks een bezoek brengen aan Nelleke Verberne', zei hij. 'Dan wil ik dat je de rapporten al hebt doorgelezen.'

Paula knikte. 'En Dennis Rigby?', vroeg ze. 'Wat doen we met hem?'

'Ik moet vanmiddag de pers te woord staan', zei hij. 'Zou jij dan naar de moeder van Dennis kunnen gaan om met haar te praten?'

'Was er al een afspraak gemaakt?'

'Ja, om twee uur vanmiddag. Probeer op tijd te zijn. De vrouw is op van de zenuwen.'

'Hoe oud is die Dennis eigenlijk?'

'Hij is pas vijftien geworden,'antwoordde Benders, 'maar volgens zijn moeder ziet hij er ouder uit.'

Benders verliet daarna het kantoor met de mededeling dat hij nog even bij de commissaris langs wilde gaan. Paula keek hem na. Ze dacht aan de moeder van de jongen, Eva Rigby.

"Op van de zenuwen", had Frank gezegd. Als moeder kon ze zich daar wel iets bij voorstellen. Ze moest er niet aan denken Ze schrok van haar eigen gedachte. Het hoefde niet zo te zijn dat Dennis bij zijn vader was. Ze hoopte natuurlijk van wel, maar ze was er ineens niet meer zo zeker van.

*

Onderweg naar Nelleke Verberne merkte Benders dat de verwarming in zijn auto het niet deed. 'Wil jij me er aan herinneren dat ik straks een afspraak met de garage maak?', vroeg hij aan Paula.
'Is de verwarming soms stuk?'
Benders knikte. 'Ja', zei hij. 'Maar hij moet ook voor een grote beurt en de APK.'
Ze reden over de dijk waar een snijdende oostenwind moeiteloos door de kierende portieren sneed.
'Waar woont die vrouw?', vroeg Paula. 'Ik sterf van de kou.'
'We zijn er zo', suste Benders. 'Ze woont aan de rand van Oostdorp.'
Na twee kilometer stopte hij voor een kleine stolpboerderij die aan de voet van de dijk lag. Benders vroeg zich juist af waar hij zijn auto moest parkeren toen hij twintig meter verderop zag hoe een fietser naar beneden reed. Hij startte zijn auto weer en volgde via een smal verhard weggetje de fietser naar beneden.

Nelleke Verberne deed de voordeur open en liep samen met een dobermannpincher haar bezoekers tegemoet. 'Komen jullie gerust verder', riep ze naar de beide rechercheurs. 'De hond doet niets.'
Benders opende het houten tuinhek en volgde, samen met Paula, de vrouw over een grindpad naar de voordeur. Met een

schuin oog keek hij naar de hond die zacht jankend met zijn gecoupeerde staart stond te kwispelen.

'Tonca is een lief beest,' zei Nelleke, 'maar als waakhond is hij niets waard.'

Benders knikte. Hij moest denken aan de hond van haar ouders en vroeg zich af of Tonca familie van de vermoorde dobermann was.

'Haar vader was beter voor zijn taak berekend', zei Nelleke, alsof ze de gedachte van Benders had gelezen. 'Maar helaas....' Ze keek Benders verslagen aan. 'Neemt u me niet kwalijk', zei ze, terwijl ze in haar ooghoeken wreef. 'Tonca is een levende herinnering aan thuis. Waaks of niet, ik zou hem voor geen goud willen missen.'

Ze kwamen in een huiskamer die veel weg had van een museum, waar het interieur uit de jaren zestig werd getoond. In de hoek stond een jukebox. Een Wurlitzer, herkende Benders. De meubels waren in art-decostijl uitgevoerd en aan de wanden hingen posters waar rocksterren uit vervlogen tijden zich als hedendaagse idolen presenteerden.

'Herkenbaar?', vroeg Nelleke.

Benders knikte en knoopte zijn jas los. 'Nogal, ja', zei hij. 'Dit was uit mijn tijd, maar.....'

'Mijn man is twintig jaar ouder', verklaarde ze. 'Hij is idolaat van de jaren zestig.'

Nadat ze hun jassen hadden uitgetrokken en Paula Nelleke had gecondoleerd met het verlies van haar ouders, gingen ze zitten.

Benders keek naar de vrouw die hij eerder had ontmoet in het mortuarium en verbaasde zich over het contrast met haar oudere broer.

'Hebben jullie Walter ook al gesproken?', vroeg Nelleke

'Nee', antwoordde hij. 'We hebben met uw broer de afspraak gemaakt om hem te spreken na de crematie van uw ouders.'

Nelleke knikte. 'Ik begrijp het', zei ze zacht.

Benders schraapte zijn keel. 'Concreet kunnen wij u nog niets melden', begon hij. 'Het sporenonderzoek heeft ons nog weinig opgeleverd en ook het eerste buurtonderzoek heeft ons nog niet verder gebracht. Zelf vermoeden wij dat de dader of daders bekenden van uw ouders zijn geweest, of althans redelijk op de hoogte moeten zijn geweest van hun leefomstandigheden.'

Nelleke keek hem geschrokken aan. 'U houdt er dus rekening mee dat er sprake kan zijn van meerdere daders?', vroeg ze vertwijfeld.

Benders knikte. 'Ja', zei hij. 'Wij sluiten dat niet uit.'

Er volgde een stilte. Benders zag dat Nelleke het te kwaad had met haar zenuwen. Ze knipperde voortdurend met haar ogen en haar handen bewogen zich onophoudelijk in haar schoot. Onwillekeurig doemde het beeld van haar afgeslachte ouders zich weer voor hem op. Ze leek op haar vader, zag hij. Ze had hetzelfde smalle gezicht en ook het hoge voorhoofd leek een kopie van haar verwekker.

'Waarom denkt u dat het bekenden zijn geweest?', verbrak Nelleke de stilte.

Benders knikte naar Paula.

'Uit onderzoek is vast komen te staan dat er een grote som aan contanten in huis moet zijn geweest', nam Paula over. 'Uit het feit dat er in de woning nauwelijks iets overhoop is gehaald, maken wij op dat de daders blijkbaar wisten waar het geld verborgen werd gehouden. Daarbij bevreemdde het ons ook dat de hond nauwelijks tot actie is overgegaan. Wij houden er daarom rekening mee dat de daders, of ten minste een van hen, bekenden moeten zijn geweest van de hond en dus ook van uw ouders.'

Benders zag de verbijstering op het gezicht van Nelleke. Haar ogen flitsten van hem naar Paula en terug. Ongelovig bleef ze hem daarna aankijken, alsof ze verwachtte dat hij de door Paula afgelegde verklaring zou gaan herroepen. 'Dat

zou dus betekenen dat het een van ons moet zijn geweest,'
riep ze verontwaardigd uit, 'maar dat is onmogelijk, dat moet
u vergeten.'

Benders zag haar smalle borstkas in hoog tempo op en neer
bewegen.

'Excuseert u mij even.' Ze stond op om een ogenblik later
terug te komen met een glas water.

'Boris was zeer eenkennig', vervolgde ze na een paar slokken. 'Als jullie theorie klopt, zou de kring waarbinnen jullie
de daders moeten zoeken, erg klein zijn.' Ze dronk haar glas
leeg en haalde diep adem. 'Ik denk dus dat jullie dat moeten
vergeten. Wij waren een hechte familie. Wij hielden van
elkaar.'

Benders keek haar aan en dacht onmiddellijk aan de oudere
broer van Nelleke. Zijn reactie in het mortuarium stond hem
nog helder voor de geest.

'Hoe klein zou die kring dan zijn?', vroeg Paula.

Benders zag Nelleke nadenken. 'Hooguit vijf personen', antwoordde ze na een poosje.

'Welke personen, mevrouw Verberne?', vroeg Paula door.

'Mijn man en ik. Mijn broers Walter en Vincent en oom
Alfred.'

'Wie is oom Alfred?'

'Een jongere broer van mijn vader. Hij werkt al meer dan
twintig jaar in het bedrijf van mijn vader. Hij beheert het
magazijn.'

Benders zag Paula haar notities maken en besefte plotseling
dat hij iets belangrijks over het hoofd had gezien. 'Is uw oom
het enige personeelslid binnen het bedrijf van uw vader?',
vroeg hij.

Nelleke knikte. 'Ja', antwoordde ze. 'Oom Alfred is de enige
vaste kracht. Mijn vader werkte veel met uitzendkrachten.
Het is een sterk seizoengebonden bedrijf met pieken in het
voor- en najaar.'

'Volgens de overbuurman was uw vader vrij stipt waar het de werktijden betrof. Hij zou iedere morgen om exact zeven uur het hek openen. Om half negen belde deze buurman ons op om ons te vertellen dat het hek die morgen gesloten bleef. Wat ik me nu afvraag, is waarom het de buurman was die ons alarmeerde en niet uw oom.'

'Dat kan kloppen', zei Nelleke. 'Oom Alfred was ziek. Hij tobt met zijn rug.'

'Waren dat ieder seizoen weer anderen uitzendkrachten of werkte uw vader vaker met dezelfde krachten?'

Benders zag haar nadenken. 'Dat wisselde volgens mij wel sterk', antwoordde ze ten slotte. 'Maar zeker weten doe ik dat niet.'

'Het kan dus zo zijn, dat er meerdere seizoenen met dezelfde mensen is gewerkt?'

Nelleke knikte. 'Ja', zei ze aarzelend. 'Dat zou heel goed kunnen.'

Benders zag hoe Paula haar laatste antwoord noteerde en bedacht dat de kring van verdachten zich na dit antwoord had uitgebreid. 'Dan heb ik nog één vraag voor u', zei hij. 'U hoeft niet direct te antwoorden, maar ik zou willen dat u de tijd neemt om erover na te denken.'

'Vraagt u maar.'

'De naam Dennis Rigby. Zegt dat u iets?'

'Rigby?'

Benders knikte hoopvol.

'Ik ken wel een Colin Rigby', antwoordde Nelleke.'

'Waar kent u die van?'

'Hij is hier wel eens geweest. Mijn man restaureert juke-boxen en Colin hielp hem wel eens met het vervangen van de bedrading.'

'Wanneer hebt u Colin voor het laatst gezien?'

'Dat is langer dan een halfjaar geleden. Waarom vraagt u dat?'

Benders dacht na , maar besloot de vrouw niet verder te informeren. 'Het is niet zo belangrijk', antwoordde hij.

*

Eva Rigby zag er afgetobd uit. Ze had kringen onder haar ogen en haar gelaat zag bleek en mat. Zo ziet een moeder er dus uit die langer dan vijfenzeventig uur tevergeefs op haar zoon wacht, overdacht Paula. Ze had te doen met de vrouw die ze zojuist had gevraagd of het niet mogelijk was dat Dennis bij zijn vader was.

Mevrouw Rigby pakte de zoveelste filtersigaret aan en stak met een wanhopig gebaar haar armen omhoog. 'Dat Dennis zijn heil bij zijn vader zoekt, moeten jullie vergeten. Dennis zou dat niet in zijn hoofd halen en zeker niet achter mijn rug om.'

Paula knikte en wachtte totdat Eva haar sigaret had aangestoken. Ze had bevestigd gekregen wat in eerdere gesprekken al naar voren was gekomen, en geloofde stellig dat Eva de waarheid sprak.

'Wat is Dennis voor een jongen, mevrouw Rigby?'

'Een lieve, gevoelige jongen', antwoordde ze. 'Te lief eigenlijk. Te kwetsbaar.'

'Had hij problemen op school?'

De vrouw schudde haar hoofd. 'Ik begrijp heel goed dat jullie naar redenen zoeken die het verdwijnen van Dennis kunnen verklaren, maar geloof me, die redenen zijn er niet.'

'Waarom bent u daar zo zeker van?'

'Dennis en ik waren maatjes. We namen elkaar in vertrouwen. Als hij plannen had om te verdwijnen, had ik dat als eerste geweten.'

Er viel een stilte. Eva staarde naar buiten. Paula keek naar haar profiel en bedacht hoeveel ouder extreme zorgen je kunnen maken. Mevrouw Rigby was vijfendertig, slechts twee jaar ouder dan dat zijzelf was, maar bij een eerste indruk zou Eva gemakkelijk tien jaar ouder worden geschat.

Ze voelde ineens de behoefte om de vrouw te troosten. Haar te zeggen dat ze zich geen zorgen hoefde te maken. Dat haar zoon gerust wel weer boven water zou komen. Maar ze besefte hoe onzinnig en leugenachtig dit zou klinken. Mevrouw Rigby had alle reden om zich zorgen te maken. Haar maatje was al langer dan drie dagen weggebleven. Zonder haar daarover in vertrouwen te nemen.

'Ik was nog maar net twintig toen Dennis kwam', verbrak Eva onverwachts de stilte. 'Colin negentien.'

Het leek erop dat mevrouw Rigby in zichzelf sprak. Alsof ze zich niet meer bewust was van Paula's aanwezigheid.

'Zelf nog kinderen eigenlijk', vervolgde ze. 'Colin was overdonderd. Hij was gek op Dennis, maar de verantwoording was hem te veel. Hij kon het niet aan. Colin droeg de verantwoordelijkheid voor zijn zoon als een loden last.'

Ze draaide haar blik weer van het raam en keek Paula aan. 'Colin en ik gaan scheiden', zei ze. 'Het gaat echt niet langer.'

Paula knikte. Het viel haar op dat Eva ondanks alles op een respectvolle manier over haar man sprak. Er leken geen gevoelens van rancune aanwezig.

'Hoe reageerde Dennis op jullie plannen?'

'Dennis is een intelligente jongen. Hij beseft heel goed dat dit het beste voor iedereen is.'

'Hoe was de relatie met zijn vader?'

'Moeizaam. Als Colin een goeie dag had, daarmee bedoel ik, als hij niet had gedronken, of geen drugs had gebruikt, dan ging het best goed. Maar die dagen werden steeds zeldzamer.'

'Mishandelde hij jullie?'

Mevrouw Rigby pakte weer een filtersigaret. Paula zag, dat

de vraag haar verraste, alsof ze niet was voorbereid op zo'n confronterende vraag.

'Soms', antwoordde ze. 'Door zijn gedrag verziekte hij de stemming in huis. Als hij te veel had gedronken, schold hij ons uit. Begon hij te slaan. Vernederde hij ons en gaf ons de schuld van zijn eigen falen.'

Paula pakte de aansteker van tafel en gaf de vrouw een vuurtje. 'Weet u inmiddels al waar Colin is?'

Eva inhaleerde diep. 'Ik verwacht niet dat hij hier nog is', zei ze .

'U bedoelt hier niet meer in Nederland?'

Eva knikte en wapperde de uitgeblazen rook met haar linkerhand uit Paula's gezichtsveld. 'Vermoedelijk zit hij bij familie in Preston. Bij zijn zus verwacht ik.'

'Waarom verwacht u dat?'

Mary is zijn lievelingszus. Ze is zes jaar ouder dan Colin. Hun moeder stierf toen hij twee was. Hij heeft Mary altijd een beetje als zijn moeder gezien.'

'Hebt u al geprobeerd de zus van Colin te bereiken?'

'Nee. Ik heb daar ook geen behoefte aan. Het enige dat ik wil is dat ik Dennis weer in mijn armen kan sluiten.'

'Kunt u ons het adres van uw schoonzus geven?'

Eva Rigby's wenkbrauwen gingen omhoog. 'Het adres van Mary?', vroeg ze verbaasd. 'Wat moeten jullie daarmee?'

'Wij zoeken Colin', antwoordde Paula kalm. 'Wij willen zijn kant van het verhaal horen.'

Eva knikte en gaf Paula zonder verdere protesten het adres. 'Wat gaat er nu verder gebeuren?'

'De zoektocht naar Dennis gaat onverminderd voort', antwoordde Paula. 'Wij houden u op de hoogte.'

*

Vlak voor de persbijeenkomst kwam Westphal met het autopsierapport langs. Hij excuseerde zich tegenover Benders voor het lange wachten, maar verklaarde zijn tijdsoverschrijding door de complexiteit van de autopsie.

Benders nam het rapport van hem aan en legde het op zijn bureau. Hij had geen tijd om het uitvoerig door te nemen en vroeg Westphal alvast naar het tijdstip van overlijden. Het antwoord van de schouwarts verraste hem.

'We moeten minimaal tien uur terugrekenen', zei Westphal. 'Vanaf het tijdstip, dat we de slachtoffers aantroffen, wel te verstaan. De dader of daders hebben in het wilde weg gestoken. In totaal zijn er tweeëndertig steekwonden geteld, waarvan een steek in de hartstreek bij de man fataal is geworden. In het geval van de vrouw sluit ik niet uit dat ze nog enkele uren heeft geleefd . Bij haar waren geen vitale delen geraakt. Bloedverlies is bij haar de doodsoorzaak geweest.'

'Ik neem aan dat dit tijdstip ook voor de hond geldt?', vroeg Benders.

Westphal knikte. 'De hond is als eerste gedood', voegde hij eraan toe.

Na de persbijeenkomst ging Benders in een opstandige stemming terug naar zijn kantoor. Hij had zich mateloos geërgerd aan de kritische houding van sommige journalisten. Ze kwamen niet louter meer om informatie. Hun komst leek er steeds meer op gericht om de manier van aanpak onderuit te halen.

Een van de journalisten had hen ervan beschuldigd dat de vermiste Dennis Rigby de prioriteit had gekregen boven de roofmoord. Benders had in niet mis te verstane bewoordingen duidelijk gemaakt dat dit niet aan de orde was. Dat het samenvallen van deze twee zaken het korps weliswaar onder grote druk zette, maar dat er geen sprake kon zijn van het stellen van prioriteiten.

Toen de journaliste na zijn weerwoord met een minzaam

knikje reageerde, besefte hij dat het een vergeefse poging was geweest haar op andere gedachten te brengen en ze in haar artikel de ondertoon van twijfel toch wel zou laten doorklinken. De lezer wordt gemanipuleerd, bedacht hij geërgerd. De waarheid doet er niet meer toe. Dit is verdomme de wereld op zijn kop.

Nikka zei hem dat hij het goed had gedaan en voegde er lachend aan toe, dat hij wat haar betrof de pers voortaan altijd wel te woord mocht staan.

Hij mocht haar wel, Nikka. Ze had gevoel voor humor en kon goed relativeren.Eigenschappen die hij bij de vorige commissaris wel eens gemist had. Wie weet, dacht hij optimistisch, krijg ik met de komst van Nikka het plezier in mijn politiebestaan weer terug.

In zijn kantoor zag Benders het autopsierapport op zijn bureau liggen. Hij las de gruwelijke details snel door en legde het rapport terug op zijn bureau.

Een vlugge rekensom leerde hem dat Dennis Rigby de moordenaar niet kon zijn. Het rapport vermeldde dat Kooiman en zijn vrouw rond middernacht werden gedood. De moeder van Dennis had verklaard dat haar zoon om half vijf de deur was uitgegaan. Hij kon dus onmogelijk de dader zijn. Zijn gedachten hierover waren tweeslachtig. Aan de ene kant zouden het twee vliegen in één klap geweest zijn, maar aan de andere kant haatte hij het om vijftienjarige jongens als moordenaar op te pakken.

Een openzwaaiende deur onderbrak zijn gedachten. Paula kwam binnen. Ze legde haar tas op haar bureau en haalde koffie. 'Eva Rigby is ervan overtuigd dat haar man naar Engeland is gegaan', begon ze daarna. 'Naar Preston. Het schijnt dat hij daar een zus heeft wonen.'

'Dat kunnen we controleren', zei Benders. 'Wat heeft ze nog meer gezegd?'

Paula dronk haar koffie en zwaaide haar benen op het bureau. 'Ze bevestigde nogmaals met klem dat haar zoon niet met zijn vader was meegegaan.'

'Geloof je haar?'

'Ja,' antwoordde Paula, 'ik geloof haar.'

Benders keek haar aan. 'Dat klinkt overtuigd.'

Paula knikte. 'Dat ben ik ook', bekende ze.

'Hoe was het met mevrouw Rigby?'

'Ze is er slecht aan toe. Als wij niet willen dat ze op korte termijn een zenuwinzinking krijgt, zullen we haar zoon zo snel mogelijk moeten vinden.'

'Dat is makkelijk gezegd.'

'Het moet, Frank. Die vrouw is kapot.'

'Er moet zoveel.'

Paula trok haar benen van het bureau en keek Benders vragend aan.

'Er is ons vanmorgen door de media verweten dat de politie de vermissing van Dennis Rigby meer aandacht zou geven dan de roofmoord', verklaarde Benders.

'Wat is dat voor onzin? Wie verzint nou zoiets?'

Benders haalde zijn schouders op. 'Verzonnen of niet. Morgen staat het in de krant.'

'En wij gaan ons dat aantrekken?'

'Nee, maar vervelend is het wel. Ik houd niet van dat soort suggestieve journalistiek.'

Paula knikte en stond op uit haar stoel. Haar oog viel op het autopsierapport en ze keek Benders vragend aan.

'Dennis Rigby als eventuele dader kunnen we schrappen', zei hij.

Ze haalde opgelucht adem. 'Ik durfde er niet aan te denken met die boodschap naar Eva Rigby te moeten gaan', bekende ze.

In de stilte die volgde bleef de gedachte aan een mogelijk andere boodschap onuitgesproken. 'We zullen bij de luchthavens en de veerdiensten informeren of Colin Rigby daar

een boeking heeft gedaan', doorbrak Benders de stilte.
'Is het niet slimmer om rechtstreeks bij Mary Rigby te informeren?'
Benders schudde zijn hoofd. 'Als Rigby niet gevonden wil worden, zal zijn zus ons niet vertellen dat haar broer tijdelijk bij haar logeert.'
Paula keek hem verbaasd aan. 'Waarom zou hij niet gevonden willen worden?', vroeg ze. 'Hij is toch geen misdadiger.'
Benders staarde recht voor zich uit. 'Dat weten wij toch niet', zei hij. 'Wat weten wij nou van Colin Rigby?'

4

Freek Buskers had geen oog dicht kunnen doen. De vermissing van de krantenjongen die Dennis heette en de afgrijselijke moordzaak in Oostdorp hadden hem behoorlijk aangegrepen.

Hoewel hij wist, dat de politie het gebied al had uitgekamd en dat zij over meer ervaring en kennis beschikte om dat grondiger te doen dan hijzelf kon, was hij toch op eigen houtje gaan zoeken. Zijn rusteloosheid had hem er toe gedreven het werk van de politie over te doen.

Voor vandaag had hij zich voorgenomen om weer te gaan zoeken. Ook voor haar, voor Anna. Ze had vaak uitgekeken naar de jongen. Ze stond dan klaar om de krant van hem aan te pakken. Hij had aan haar kunnen merken dat het haar gelukkig maakte, en in stilte had hij begrepen waarom.

Hij kende Dennis nauwelijks. Afgelopen kersttijd had hij hem ontmoet toen de jongen zijn nieuwjaarswens kwam brengen. Hij had de knaap twee euro gegeven en hem gezegd het bewonderenswaardig te vinden, dat hij altijd zo stipt de krant bezorgde.

Het was een beleefde jongen die hem hartelijk voor het geld bedankte. Buskers had daarbij aan zijn eigen zoon moeten denken en had na de vermissing meerdere keren overwogen om de moeder van de jongen op te bellen om haar hun steunbetuiging te geven. Hij wilde haar zeggen hoezeer hij en zijn vrouw met haar meeleefden. Maar later besefte hij dat hij dat beter niet kon doen. De moeder van de vermiste jongen had wel wat anders aan haar hoofd dan te luisteren naar telefoontjes van wildvreemde mensen.

Het zou trouwens niet goed zijn geweest om ook uit naam van Anna te spreken. Anna sprak al jaren niet meer. Sinds ze twaalf jaar geleden hun zoon hadden verloren, was er een omslag in hun leven gekomen. De behandelende artsen hadden gesproken over een traumatische ervaring. "In feite leeft uw vrouw in een voortdurende shocktoestand", hadden ze gezegd. Geen enkele behandelingsmethode had daar verandering in aan kunnen brengen. Vanaf die tijd omringde hij haar met de grootste zorg. Was hij altijd bij haar.

Hij had geprobeerd erachter te komen of ze op die ochtend ook de krant van de jongen had aangepakt, maar het was hem niet duidelijk geworden. Hij had haar niet uit bed horen gaan. Maar omdat het die nacht en ochtend had geregend, vermoedde hij dat ze niet naar buiten was gegaan.

Hij had aan het gedrag van Anna kunnen merken dat de vermissing van de krantenjongen haar aangreep. Ze was anders. Hij zag het aan haar ogen. Soms, wanneer ze naar hem keek, verbeeldde hij zich zelfs dat ze wilde spreken. Alsof ze een weg zocht om de blokkade in haar hoofd op te heffen. Maar ze bleef zwijgen. Hij draaide zich om in zijn bed. Het was nog donker buiten. Straks, zodra het licht werd, zou hij naar de lange, smalle duiker gaan. Drie jaar geleden hadden ze daar het kadaver van een schaap gevonden. De kanovaarder die het ontdekte, had gezegd dat het beest was blijven hangen aan een stuk betonijzer dat uitstak. De duiker was zes meter lang en ongeveer tachtig centimeter breed. Het was niet uitgesloten dat de jongen tijdens het regenachtige weer in de slip was geraakt en met fiets en al in de diepe sloot was gevallen. Natuurlijk hoopte hij van niet, zeker niet voor Anna, ze zou dat niet aankunnen. Maar hij mocht het ook niet uitsluiten.

Hij rilde en loerde naar de wekker. Buiten begon het al te schemeren. Over twee uur zou hij meer weten.

5

Benders werd met een katterig gevoel wakker. Hij ging op de rand van zijn bed zitten en keek door het slaapkamerraam naar buiten. Het was verdomme al licht geworden. Een snelle blik op zijn wekker leerde hem dat hij zich had verslapen. Hij slikte. Zijn tong voelde aan als hondenleer en in zijn hoofd bonkte de herinnering aan overmatig alcoholgebruik.

De vorige avond was hij met Eline naar een cabaretvoorstelling geweest. Het was ruim een jaar geleden dat hij een theater had bezocht. Eline had hem gezegd dat hij er weer eens uit moest. Dat het leven niet uitsluitend uit werken bestond. Eigenlijk vond hij dat hij daar geen tijd voor had. Er moesten nog rapporten worden bijgewerkt. Maar Benders had aan de woorden van Femke moeten denken: "Maak eens wat meer tijd voor haar vrij."

De cabaretière bleek in staat de sores voor een aantal uren uit zijn hoofd te bannen. Na afloop waren ze met vrienden naar het theatercafé geweest, waar hij meer had gedronken dan hij aankon. Hij was het niet meer gewend, drinken. De laatste keer dat hij aangeschoten was geweest was vier jaar geleden. Het was in een periode dat zijn relatie met Eline in een dip was geraakt. Net als nu. In die tijd werkte hij aan een zaak, waar hij een Poolse, vrouwelijke tolk had ontmoet. Hij werd verliefd op haar en belandde in een dronken bui met haar in bed.[1] Vannacht had hij met verlangen aan dat moment teruggedacht. Hij vroeg zich nu af of er in het leven van de vrouw die Grazyna heette, ook momenten waren geweest dat ze naar die tijd terugverlangde. Of dat hij voor haar slechts een toevallige passant was geweest.

Hij schudde bij die gedachte zijn hoofd en stond op van het bed. Langzaam rekte hij zich uit en zag tot zijn verbazing dat Eline al was opgestaan. Ineens herinnerde hij zich dat het

[1] Zie Het lied van de lijster

vandaag dinsdag was. Ze zou vandaag naar Schiedam gaan. Een jeugdvriendin van haar was vrij plotseling gestorven en zou vandaag worden gecremeerd. Eline was daar van slag van en had hem erop gewezen hoe betrekkelijk het leven was. Hoe betrekkelijk alles was.

Ze zei ook dat het leven te kort was om belangrijke besluiten uit te stellen. Toen hij haar vroeg waar ze op doelde, haalde ze haar schouders op. "Gewoon", had ze gezegd, "Belangrijke besluiten". Hij moest daarbij onmiddellijk denken aan wat Femke hem tijdens hun laatste gesprek had gezegd. "Als jullie dan nog bij elkaar zijn tenminste." Maar Eline liet ondanks zijn aandringen niets in die richting los.

De gedachte aan een plotselinge dood verontrusttc hcm opeens. Als dit voorbij is, nam hij zich voor, gaan we in het vroege voorjaar met vakantie. Met al de overuren moest hij er minstens veertien dagen tussen uit kunnen. Hij dacht aan Italië. Aan Rome. Hij zou het Eline voorleggen. Maar eerst moest hij de beestachtige moorden in Oostdorp en de vermissing van de krantenjongen oplossen. Met een beetje geluk lag er straks een fax op zijn bureau, waarin werd bevestigd dat Rigby inderdaad met zijn zoon naar Engeland was vertrokken. Dan zou het alleen nog een kwestie zijn van het uitschrijven van een internationaal opsporingsbevel.

Het vooruitzicht van een vakantie en de hoop op een voorspoedige afwikkeling van de poldermoorden verdreef zijn katterige gevoel van deze vroege ochtend. Hij liep naar de badkamer en pakte zijn scheerspullen uit de kast.

Het duurt wellicht niet veel langer meer dan drie weken, dacht hij neuriënd. Daarna gaan we naar Italië, naar Rome. Een nieuw begin.

Hij scheerde en waste zich. Daarna poetste hij zijn tanden en kleedde zich gehaast aan. Op het aanrecht lag een briefje van Eline, waarin ze had geschreven dat ze waarschijnlijk niet op tijd thuis zou zijn voor het eten. Er zou nog een pizza in de vriezer liggen. Hij moest gelijk weer aan Italië denken.

Hij smeerde een boterham, belegde deze royaal met kaas en vouwde hem dubbel. Daarna schoot hij al kauwende zijn jas aan en haastte zich naar de voordeur.

Vlak voordat hij de deur opende, ging de telefoon. Het was Paula. Ze vertelde hem dat er een bericht was gekomen van de centrale meldkamer. Nabij Oostdorp hadden ze het lichaam gevonden van een man. Van een jonge man. Hij zou in een duiker zijn blijven steken aan een stuk uitstekend betonijzer.

Benders verslikte zich zowat in zijn brood. De gedachte dat het hier kon gaan om de vijftienjarige Dennis Rigby verontrustte hem.

'Is al bekend om wie het gaat?'

Haar snelle antwoord overviel hem.

'Het gaat om de krantenjongen. Officieel is er nog niets bekend, maar de man die de melding heeft gemaakt is er zeker van.'

Benders vloekte. Rome leek verder dan ooit.

*

'Dennis Rigby?'

Paula knikte. 'Geen twijfel mogelijk', zei ze. 'Hij moet daar minstens drie dagen hebben gelegen. De schouwarts zei dat de lage temperatuur van het water het beeld zou kunnen vertekenen, maar dat we rekening moeten houden met minstens drie dagen.'

Benders nam zuchtend plaats achter zijn bureau. Nadat hij vanmorgen had ontdekt dat zijn autoruiten waren bevroren, had hij zich weer gerealiseerd dat de verwarming van zijn auto nog steeds kapot was. Hij had noodgedwongen op zijn fiets naar het bureau moeten gaan. Daar wachtte hem de tweede teleurstelling. Er was een faxbericht binnengekomen, waarin stond vermeld dat Colin Rigby niet als passagier te boek had gestaan.

Benders verwenste zijn politiebestaan.'Wat was de doodsoorzaak?', vroeg hij aan Paula.

'Daar kon Westphal nog weinig over zeggen. Hij vermoedt dat er sprake kan zijn van een aanrijding. Zijn gezicht was danig verminkt, maar het wachten is natuurlijk op de autopsie.'

Benders schudde mismoedig zijn hoofd. 'Als Westphal zijn vermoeden over een aanrijding heeft uitgesproken, kunnen we alvast een voorschot nemen op de uitslag', zei hij.

'Maar waarom dan de moeite nemen om hem in de sloot te dumpen?'

'Daaruit kunnen we opmaken dat de dader weldoordacht te werk is gegaan', antwoordde Benders. 'Het duidt er ook op dat hij door de aanrijding nauwelijks in paniek is geraakt. Hij handelde niet in een impuls, maar besefte dat het dumpen van de jongen hem een voorsprong zou opleveren. We zijn nu vier dagen verder. Een sporenonderzoek kunnen we zo goed als vergeten.'

Paula knikte. 'We moeten Eva Rigby op de hoogte brengen', zei ze.

Benders hoorde aan haar stem hoe ze daar tegen op zag en stond op uit zijn stoel. 'Dan gaan we dat nu doen', zei hij.

*

Eva Rigby zat er verslagen bij. 'Wanneer en waar kan ik hem zien?', vroeg ze zacht.

'Dat zal niet eerder worden dan morgen', antwoordde Paula. 'U moet....' Ze zocht naar woorden om Eva duidelijk te maken dat ze zich moest voorbereiden op het allerergste. Dat haar zoon ernstig verminkt was. Maar hoe vertel je dat? Hoe vertel je een moeder dat haar kind dood en verminkt in het mortuarium ligt?

'U moet zich voorbereiden op het ergste, mevrouw Rigby', nam Benders over. 'Uw zoon is vermoedelijk aangereden door een auto, zijn gezicht is danig verminkt.'

Eva Rigby keek hem aan. Paula zag haar ongeloof en verbijstering. Haar hoofd schokte, alsof het bezig was de zojuist verkregen informatie te rangschikken.

'Hebt u familie, of een goede vriend die u morgen zou kunnen begeleiden, mevrouw Rigby?'

Eva schudde haar hoofd. Ze stak een sigaret op en inhaleerde de rook geluidloos. 'Ik doe dit alleen', zei ze zacht, maar beslist. Ze blies de rook sissend naar buiten en keek verloren om zich heen. 'Ik heb hem alleen gekregen,' vervolgde ze, 'en ik zal hem alleen afstaan. Verminkt of niet.'

*

Toen ze buitenkwamen, scheen de zon. Een scherpe oostenwind sloeg hen in het gezicht. Benders deed zijn kraag omhoog.

'Wat een rotklus', zei Paula.

Benders knikte en stond een ogenblik zwijgend bij de auto. 'Ik wil naar de plek waar Dennis Rigby is gevonden. Aansluitend daarop wil ik een gesprek met de man die het lichaam heeft ontdekt.'

Ze reden door de polder richting Oostdorp. De lucht was helder en een scherpe februarizon dwong Paula de zonneklep naar beneden te trekken.

'Wat is jouw indruk van Eva Rigby?', vroeg Benders.

'Ik weet niet of we, gezien de omstandigheden waarin ze nu

verkeert, een juist beeld van haar kunnen krijgen. Eerlijk gezegd maak ik me een beetje zorgen om haar. Ze is zo labiel als wat. Misschien doen we er goed aan contact op te nemen met haar huisarts.'

Benders knikte. 'Ik zal dat vanmiddag met Nikka overleggen.'

'Ben jij al zover dat je de commissaris met Nikka aanspreekt?'

Benders hoorde haar verbazing.'Waarom niet? We zijn leeftijdgenoten.'

'Wat vind je van haar?'

'Nikka lijkt me een aanwinst voor het korps', antwoordde Benders. 'Ze is sociaal en minder formeel dan haar voorganger.'

'Ik denk wel dat je daar gelijk in hebt, maar beroerder dan met Haarsma hadden we het ook nauwelijks kunnen treffen.'

Benders zweeg. Hij voelde niet de behoefte de vertrokken commissaris een trap na te geven.

Ze reden zwijgend het verkavelde landschap in. Met hoge snelheid doorkruiste Paula de in blokpatronen verdeelde polder. Tegen de rand van Oostdorp bracht ze de auto tot stilstand. 'Hier is het', zei ze. Ze wees voor zich uit en maakte Benders attent op de twintig meter verder gelegen duiker. 'De man die hem ontdekte, was bewust op zoek naar Dennis. Hij had zich het lot van de vermiste krantenjongen nogal aangetrokken en was zelf op onderzoek uitgegaan.'

'Hoe was de man achter zijn vermissing gekomen?'

'Hij wist het sinds maandag. Vergeet niet dat er een politiebericht in de krant heeft gestaan.'

Benders knikte en stapte uit. Hij liep tegen de straffe oostenwind naar de duiker en probeerde zich te herinneren wat voor weer het was geweest, toen Dennis hier de laatste keer zijn kranten had bezorgd.

Ineens schoot het hem te binnen dat het die hele nacht en

ochtend had geregend. Hij besefte dat hij daardoor de nog eventueel bruikbare sporen wel kon vergeten.

Benders bleef staan voor de walkant naast de duiker en keek naar beneden. Hij zag een brede sloot die aan beide kanten werd begrensd door een hardhouten beschoeiing. Schuin aan de overkant tuurde een blauwe reiger bewegingloos in het water.

'Wie heeft de jongen uit het water gehaald?', vroeg hij aan Paula.

'Duikers van de brandweer', zei ze. 'Ze hadden er nog een hele hijs aan. Door al het water in zijn lichaam woog de jongen meer dan tachtig kilo.'

Benders knikte en liep voorzichtig naar beneden. De laatste nachtvorst had ervoor gezorgd dat het gras was aangevroren, waardoor het steile talud glad was geworden. Beneden gekomen, steunde hij met zijn rechtervoet tegen een hardhouten paal en probeerde zich voorzichtig voorover te buigen om een blik in de duiker te kunnen werpen. Maar wat hij zag, was niet meer dan een zwart, donker gat.

Hij realiseerde zich dat de krantenjongen al dood of in ieder geval buiten bewustzijn moest zijn geweest, voordat hij de duiker werd ingezogen. Bij bewustzijn zou het door de zwakke stroming eenvoudig zijn geweest om dat te voorkomen.

Alsof ze het gezamenlijk hadden besloten, verliet de reiger aan de overkant tegelijkertijd met Benders zijn stek. Het beest klapwiekte naar de overkant van het water om elders zijn geluk te beproeven. Benders klom op handen en voeten naar boven en bedacht nijdig dat hij zich deze moeite had kunnen besparen. 'Ik wil dat de duikers nogmaals het water ingaan', zei hij hijgend tegen Paula zodra hij weer boven was. 'Er moet uitgebreid worden gezocht naar eventueel aanwezige sporen.'

'Wat denk je dan te kunnen vinden?'

'Dat weet ik niet. Dat kan van alles zijn. Zijn fiets bijvoorbeeld, of andere spullen die hij in het water verloor. Dat kunnen aanwijzingen zijn.'

Ze liepen terug naar de rijweg.

'Waar woont Buskers?'

Paula wees naar een woning op vijftig meter afstand van de duiker. 'Dennis bezorgde daar zijn laatste krant', zei ze. 'Normaal gesproken zou hij daarna rechtsomkeer hebben gemaakt en weer huiswaarts zijn gefietst.'

Benders knikte. Paula had gelijk, besefte hij. Normaal gesproken worden er geen vijftienjarige jongens van hun fietsen gereden en in sloten gedumpt.

Ze waren bij de voordeur van de familie Buskers aangekomen. Juist voor Benders aan wilde bellen, werd de deur geopend. Hij keek verrast naar de man tegenover hem.

'Ik zag jullie deze kant op komen lopen', verklaarde Buskers. 'Komen jullie in verband met de verdronken jongen?'

Benders knikte. 'Ja', zei hij. 'We willen daar nog even met u over praten.'

'Komt u verder.' De man maakte een uitnodigend gebaar en zwaaide de deur verder open. Benders keek naar zijn verweerde gezicht. De getaande huid liet er geen twijfel over bestaan, dat hij het grootste gedeelte van zijn leven in de buitenlucht had doorgebracht. Een tuinder waarschijnlijk.

Hij moest terugdenken aan een moordzaak van jaren geleden. Een tuinderfamilie was daar ongevraagd bij betrokken geraakt, doordat het slachtoffer in haar schuur was aangetroffen. Hij wist zich nog te herinneren dat de betreffende tuinder failliet was geraakt en dat hij mede daardoor een eind aan zijn leven had gemaakt. Hij had in die tijd geleerd dat het tuinderbestaan hard was. De meeste bedrijven in deze polder hadden de grootste moeite om het hoofd boven water te houden.

'Weten jullie al of het de krantenjongen was?', vroeg Buskers.

Benders knikte. 'Het gaat inderdaad om Dennis Rigby', antwoordde hij.

Ze kwamen in een woonkeuken waar een vrouw bezig was om water in het koffiezetapparaat te gieten.

'Deze mensen zijn van de politie, Anna', zei Buskers. 'Ze komen in verband met die afschuwelijke vondst die ik vanmorgen heb gedaan.'

De vrouw die door de man met Anna was aangesproken, liet de glazen koffiekan uit haar handen vallen en keek hem verschrikt aan. Buskers liep onmiddellijk naar haar toe en begeleidde haar naar een stoel aan de keukentafel. De vrouw ging zitten en staarde zwijgend voor zich uit.

Ze zag krijtwit en Benders zag dat haar lippen trilden. 'Neemt u me niet kwalijk', zei hij geschrokken. 'Als ik geweten had dat….'

Buskers schudde zijn hoofd. 'U hoeft zich niet te verontschuldigen', zei hij. 'Mijn vrouw en ik maken dit niet dagelijks mee. Vorige week die afschuwelijke moordzaak in het dorp en nu dit weer.'

Benders knikte. 'Ik begrijp het', zei hij. 'Ik had daar rekening mee moeten houden.'

Buskers liep naar een naastgelegen vertrek en kwam even later terug met een stoffer en blik. 'Wij hebben ons de vermissing van de krantenjongen nogal aangetrokken', zei hij. 'Het was een aardige, beleefde jongen. Dat hij nu blijkt te zijn omgekomen is een regelrechte schok voor ons.'

Terwijl Buskers bezig was de glasscherven op te ruimen, ging Paula naast de vrouw aan de keukentafel zitten. Benders zag dat ze haar op haar gemak probeerde te stellen, maar constateerde dat ze daar niet in slaagde. De vrouw beefde als een rietje. Hij vroeg zich af hoe het kon bestaan, dat deze mensen zich het lot van Dennis Rigby zo hadden aangetrokken. Voor zover bekend bestond er geen enkele relatie tussen hen en de krantenjongen.

'Ik denk dat het verstandiger is als u op een ander tijdstip nog eens terugkomt', zei Buskers, nadat hij de scherven had opgeruimd. 'Of dat ik morgen bij u op het bureau langskom om eventuele vragen te beantwoorden.'

Benders knikte zonder iets te zeggen en wenkte Paula mee te komen. 'Ik bel u wel voor een nadere afspraak', zei hij. Daarna vertrokken ze.

*

Benders schrok wakker van de ovenbel. Hij staarde versuft voor zich uit en had enige tijd nodig om tot zich door te laten dringen, dat hij een pizza in de oven had liggen. Hij kwam moeizaam overeind en liep wankelend naar de keuken. Onderwijl keek hij op zijn horloge en zag tot zijn schrik dat het al drie minuten voor acht was.

Even later zat hij met zijn pizza op schoot naar het journaal te kijken. De nieuwslezer berichtte, dat er een politieman in Zaanstad was doodgeschoten door een Duitse drugscrimineel.

Benders vloekte. Hij sneed met nijdige gebaren zijn pizza in stukken en vroeg zich af waar het naartoe moest met deze wereld.

Hij dacht aan Joris, zijn zoon. Vier jaar geleden had hij de verrassende keus gemaakt om ook voor het politievak te kiezen. Een maand geleden was hij als agent in Haarlem begonnen. Waarom had hij zijn zoon nooit afgeraden om voor dit vak te kiezen? Er werden verdomme op klaarlichte dag politiemannen op straat doodgeschoten, alsof het om vogelvrij verklaarden zou gaan.

Benders zette zijn bord terug op tafel. De lust om zijn pizza op te eten was hem vergaan.

Hij was zijn politiecarrière begonnen in een periode, dat er nog geen zware kettingsloten op fietsen werden aangebracht en geen kogelvrije vesten bij een aanhouding werden aangetrokken. In de huidige tijd was het amper nog verantwoord om agenten zonder kogelvrije vesten te laten surveilleren. Hij vloekte en drukte het televisietoestel uit.

Gedreven door een plotselinge onrust liep hij naar de telefoon en toetste het mobiele nummer in van Joris. Hij had niet overdacht wat hij tegen zijn zoon wilde zeggen. Het intoetsen was een impuls van hem geweest. Een plotselinge behoefte om zijn stem te horen.

'Ben jij dat, pa?'

'Ja, Joris ik ben het. Hoe gaat het met je?'

'Hoe gaat het met je?', herhaalde Joris.

Benders hoorde zijn verbazing. 'Ja, ik mag toch wel vragen hoe het met je gaat.'

'Het gaat prima. Dat was het?'

'Heb je gehoord dat er een politieman in Zaanstad is doodgeschoten?'

'Ja. Goed shit. '

Benders wachtte op een vervolg, maar dat bleef uit. Joris voelde blijkbaar niet de behoefte er iets aan toe te voegen.

'Belde je me daarvoor op?'

'Ja, ik dacht....'

'Ik stond op het punt de deur uit te gaan, pa', onderbrak Joris. 'Dus als je het niet erg vindt?'

Nadat de verbinding was verbroken, staarde Benders naar de vloer. Hij had kunnen horen, dat Joris stomverbaasd was geweest om zijn stem te horen. Niet zo vreemd, bedacht hij met spijt. Hij belde zijn zoon nooit. De contacten verliepen gewoonlijk via Eline.

Hij legde de telefoon terug en stond op. We vervreemden van elkaar, bedacht hij somber. Misschien zou hij er beter aan doen om Joris wat regelmatiger te bellen.

Plotseling moest hij denken aan Colin en Dennis Rigby.

Benders vroeg zich af hoe hij zou reageren als Joris als vermist zou zijn opgegeven. Hij zou tot in alle uithoeken van de wereld naar hem op zoek zijn gegaan. Zou Colin Rigby ook zoeken? Of zou de man nog steeds onwetend zijn over wat zijn zoon was overkomen?

Benders schudde bij deze laatste gedachte zijn hoofd. Daarna ging hij zitten en zette de televisie weer aan. De weerman voorspelde een zeer koude nacht, waarin de temperaturen tot ver onder het vriespunt konden dalen. Ineens dacht hij weer aan de kapotte verwarming van zijn auto. Hij had nog steeds geen afspraak met de garagehouder gemaakt.

*

Benders zat tegenover Nikka Landman. Hij vertelde haar dat het hem bevreemdde, dat Colin Rigby zich niet op het bureau had gemeld in verband met de vermissing van zijn zoon en liet de commissaris weten dat onbegrijpelijk te vinden.

Nikka knikte instemmend.' Als Rigby zijn zoon zocht, had hij allang bij ons geïnformeerd', beaamde ze. 'We kunnen ons dus inderdaad afvragen waarom hij dat niet heeft gedaan. Ik kan me tenminste niet voorstellen dat hij onwetend is gebleven over deze vermissing. Het enige dat ik nog kan bedenken is, dat het zoek zijn van zijn zoon hem volslagen koud heeft gelaten, maar echt logisch klinkt dat niet.'

Benders knikte. Hij verwachtte dat de commissaris dieper zou ingaan op dit vraagstuk, maar in plaats daarvan zette ze haar bril op en schoof ze een map naar zich toe om in te bladeren. 'Er is gistermiddag laat nog gebeld door een vrouw die beweerde dat ze Dennis Rigby om vrijdagmorgen vijf minuten voor half zes voorbij zag fietsen. Misschien is het verstandig bij deze vrouw langs te gaan om haar verhaal te controleren.'

Benders knikte en noteerde het opgegeven adres van de vrouw die Zalm heette, en bedacht ondertussen dat hij dan gelijk een afspraak kon maken met de familie Buskers. Daarna stond hij op uit zijn stoel, maar Nikka vroeg hem om weer plaats te nemen.

'Je hebt me nog niet verteld wat je werkelijk dacht, Frank', zei ze. 'Het was me al eerder opgevallen dat je er moeite mee hebt je gedachten uit te spreken. Waarom?'

Benders ging weer zitten en keek Nikka onzeker aan. 'Ik begrijp niet precies wat je bedoelt. Ik dacht dat ik duidelijk geweest was.'

Nikka toonde een glimlach. 'Je was pas duidelijk geweest wanneer je me rechtstreeks had verteld dat je Colin Rigby verdenkt van enige betrokkenheid bij de dood van zijn zoon. Want dat is waar je werkelijk aan denkt. Of niet soms?'

Benders knikte betrapt. 'Ik weet dat het een onzinnige gedachte is,' zei hij, 'maar zolang ik geen goede verklaring heb voor het feit, dat Colin Rigby zich niet heeft gemeld in verband met de vermissing van zijn zoon, ben ik bang dat deze gedachte me niet loslaat. Zelfs nu bekend is geworden hoe het met de jongen is afgelopen, laat hij taal noch teken van zich horen.'

Nikka zette haar bril af en keek Benders aan. 'Een vader die zijn zoon vermoordt en hem vervolgens in de sloot dumpt zou op een zieke geest duiden.'

Benders beaamde dit. 'Volkomen met je eens', zei hij, 'maar helaas bestaan er zulke gestoorde mensen.'

Er viel een stilte. Benders bedacht dat hij nog iets had willen vragen aan de commissaris, maar kon er niet opkomen.

'Wat ben je nu van plan?', vroeg Nikka.

'Het lijkt me duidelijk dat we zo snel mogelijk Colin Rigby moeten vinden', zei hij. 'Maar ik moet me ook concentreren op de poldermoorden. Ik kan het onmogelijk volhouden om dit te blijven combineren.'

Nikka knikte. 'Dat begrijp ik. Ik zal extra bijstand vragen om

Rigby op te sporen. Overigens is er uit Preston een bevestiging gekomen, dat hij daar niet verblijft.'
Benders wist het weer. Dat was wat hij aan de commissaris
wilde vragen. 'Dan mogen we er dus vanuit gaan dat hij
mogelijk nog in Nederland verblijft.'
'Mogelijk', zei Nikka.
'Zou het zinnig zijn een aanhoudingsbevel uit te schrijven?'
'Op grond waarvan? Wat we hebben zijn vage vermoedens,
meer niet.'
Benders begreep dat ze daar gelijk in had en stond op. 'Dan
ga ik straks bij mevrouw Zalm langs, en hoop ik dat er nog
wat tijd overschiet om de familie Kooiman te bezoeken.'
'Laat me dan morgen in ieder geval horen wat mevrouw
Zalm je te vertellen had.'
Benders beloofde dat en vertrok. Hij vroeg zich af hoe het
mogelijk was dat Nikka zo goed had begrepen waar hij aan
had gedacht, maar vond daar geen antwoord op.

*

Mevrouw Zalm was een blozende vrouw van rond de veertig. Zodra ze Benders had binnengelaten, bood ze hem koffie
aan
Benders bedankte en zag dat ze daar teleurgesteld over was.
Hij knoopte zijn jas los en nam plaats op een met rode
velours beklede stoel.
De vrouw ging zitten op een bank tegenover hem en streek
met een nerveus gebaar een onwillige lok uit haar gezicht. Ze
was zenuwachtig, zag Benders. Haar ogen rolden voortdurend van de grond naar het plafond en hij vroeg zich af hoe
hij deze vrouw op haar gemak kon stellen.
'U hebt hier een weids uitzicht, mevrouw Zalm', zei hij om
het ijs te breken.
Ze knikte niet overtuigend. 'Maar wel erg stil', zei ze. 'Ik

kom zelf uit de stad en kan hier slecht wennen. Vooral de winters zijn vreselijk.'

'Daar kan ik me iets bij voorstellen', zei Benders. Hij keek uit het raam en herkende op vijftig meter afstand de woning van de familie Buskers. Het viel hem op dat de gordijnen van zowel het voor- als het zijraam gesloten waren.

'Als het aan mij ligt, ga ik morgen weer naar de stad', vervolgde mevrouw Zalm. 'Maar mijn man is tuinder in hart en nieren.' Ze wees naar buiten. 'Die polder is ons brood', zei ze gelaten.

Benders volgde haar blik en pakte zijn notitieblok. Die vrouw gaat hier dood, dacht hij ondertussen.

'U hebt dus op vrijdagmorgen de zeventiende februari de krantenjongen voorbij zien fietsen', zei hij met de pen in de aanslag.

De vrouw knikte.

'Kunt u mij vertellen hoe laat dat exact was? Het is van het grootste belang, dat u daar zo nauwkeurig mogelijk in bent.'

'Ongeveer half zes', antwoordde ze.

Het viel Benders op dat ze voor haar antwoord nauwelijks de tijd had genomen.

'Bezorgde Dennis Rigby bij u ook de krant?'

Ze schudde haar hoofd. 'Nee', zei ze. 'Wij lezen de *Telegraaf.*'

Benders keek op van zijn notitieblok en keek haar aan. 'Wat zag u precies, mevrouw Zalm?'

'Hoe bedoelt u?'

'Hebt u bijvoorbeeld zijn gezicht kunnen zien? Hebt u kunnen zien wat voor kleding hij droeg?'

Ze knikte heftig. In rap tempo volgde een gedetailleerde omschrijving van een jongen die niemand anders kon zijn dan Dennis Rigby.

Benders borg zijn notitieblok op en zuchtte. 'U liet het bureau weten dat u de krantenjongen om vijf voor half zes had gezien', zei hij verwijtend. 'En nu verklaart u tegenover mij dat het om ongeveer half zes is geweest.'

'Vijf voor half zes kan ook wel. Zo precies weet ik het niet meer.'

Benders voelde zijn ergernis. Hij had zich de moeite kunnen besparen mevrouw Zalm te bezoeken, besefte hij. Haar beschrijving leek te veel op het signalement dat in de kranten had gestaan en bovendien was het onmogelijk om in het donker en van zo'n grote afstand een zo gedetailleerde beschrijving te geven.

'Waarom doet u dit, mevrouw Zalm?', vroeg hij streng.

Ze keek hem geschrokken aan. 'Ik begrijp niet wat u bedoelt.'

'U zag Dennis Rigby niet. U verzint dit. Waarom?'

Benders zag de vrouw blozen. Haar ronde gezicht begon steeds meer te lijken op een rode ballon die elk moment uit elkaar kon spatten. Ze keek nerveus om zich heen, alsof ze verwachtte dat iemand haar uit deze benarde positie kwam bevrijden.

'Vertelde u uw man ook dat u de krantenjongen zag?'

'Nee', antwoordde ze snel. 'Toon weet hier niets van.'

Benders keek vanuit het raam de weidse polder in. Midden in het land zag hij een vogelverschrikker. Doodstil en met gespreide armen stond de pop als een alleenheerser in de oneindige polder. Een zwerm kraaien daalde neer op de akker, om een ogenblik later het luchtruim weer te kiezen. Hij vroeg zich af of de vogelverschrikker daar schuldig aan was, of dat de vogels op de bevroren akker niets van hun gading konden bemachtigen.

'Ik wil niet dat mijn man dit te weten komt.'

Benders reageerde niet. Hij zag dat mevrouw Buskers naar buiten was gelopen. Hij herkende haar aan haar gebogen houding. Ze liep diep weggedoken in een lange zwarte jas en verdween even later achter een stenen schuur. Deze morgen had hij een afspraak willen maken om bij de familie Buskers langs te gaan, maar Buskers had er de voorkeur aan gegeven op het bureau te komen. Hij zei alleen te willen komen. "Anna voelt zich niet goed", had hij verklaard. "Ze heeft een zwakke gezondheid. De dood van de krantenjongen heeft haar te zeer van streek gemaakt."

Benders had daar begrip voor getoond. Hij bedacht hoe verschillend mensen kunnen reageren op dezelfde gebeurtenissen. Mevrouw Buskers was van slag geraakt van de dood van Dennis Rigby, terwijl mevrouw Zalm zijn lot aangreep om de intense saaiheid in haar bestaan wat kleur te geven.

'U hebt een misleidende verklaring afgelegd, mevrouw Zalm', zei hij streng. 'Op grond daarvan zou ik u kunnen laten vervolgen.'

'Alstublieft, inspecteur', smeekte ze. 'Ik.....'

'U moest zich schamen', onderbrak hij hard.

Hij verliet de woning met het gevoel zijn tijd te hebben verprutst. Buiten was het licht gaan sneeuwen en hij besefte dat het nog niet gedaan was met de winter.

Met hoge snelheid was Benders de polder uitgereden. Zijn bezoek aan mevrouw Zalm had korter geduurd dan dat hij had gepland. Hij had besloten naar Oostdorp te rijden om in de resterende tijd een bezoek te brengen aan de woning, waar nu precies een week geleden het echtpaar Kooiman op beestachtige wijze was omgebracht. Maandag zou de woning weer worden vrijgegeven.

Hij besefte dat de onderzoeksresultaten na de eerste week bedroevend waren geweest. Hij dacht aan Rome en vloekte. We gaan, nam hij zich voor. Opgelost of niet.

Benders parkeerde zijn auto voor de woning van de familie van Amerongen. Zodra hij was uitgestapt, kwam de man die hem die bewuste vrijdagmorgen had gealarmeerd naar buiten. Benders negeerde hem door met grote stappen naar de overkant te lopen, maar Van Amerongen haalde hem in en hield hem staande.

'Is hij al bij u langs geweest?', hoorde hij de man vragen.

Benders keek hem verbaasd aan. 'Ik begrijp niet wat u bedoelt', zei hij.

'Vincent was hier', verklaarde Van Amerongen.

Benders veegde een sneeuwvlok van zijn voorhoofd en keek de man vragend aan. 'Wie is Vincent?'

'Vincent Kooiman is de jongste zoon. Hij was hier vijf minuten geleden. Hij was nogal teleurgesteld.'

'Teleurgesteld waarover?'

'Over het feit dat hij niet naar binnen kon en het pand is verzegeld. Hij vond het stijlloos van de politie dat ze hem de toegang tot zijn ouderlijk huis hadden ontzegd.'

Benders knikte. 'Zou hij naar het bureau gaan?'

'Hij zou van jullie eisen hem de toegang tot het huis te verschaffen.'

Benders glimlachte. 'Ik geef hem weinig kans', zei hij. Daarna liep hij door naar de overkant.

'Die Vincent is niet de makkelijkste!', riep Van Amerongen hem nog na.

Benders reageerde niet en opende het hek met de sleutel die de technische recherche in de woning had ontdekt.

Het was harder gaan sneeuwen. De wolken pakten zich samen. Hij liep naar de achterkant van het huis. In het dunne laagje sneeuw zag hij de voetsporen die ongetwijfeld aan Vincent toebehoorden.

Het bevreemdde hem dat de jongeman kabaal had gemaakt om het feit dat hij zijn ouderlijke woning niet had in gekund. Uit de verslagen van de verhoren was naar voren gekomen, dat hij al op zeventienjarige leeftijd uit huis was gegaan en weinig of geen contact meer met zijn ouders onderhield. Volgens de verklaringen verbleef hij in de nacht van de moord op zijn ouders in Antwerpen. Kootstra had zijn alibi nagetrokken en had deze verklaring bevestigd. Benders herinnerde zich dat de Friese rechercheur hem had gezegd, dat hij geen ogenblik de indruk had gehad dat Vincent Kooiman zich het lot van zijn ouders aantrok. "Ik heb nog nooit zo'n onverschillig stuk vreten ontmoet", had hij daaraan toegevoegd.

Benders deed de deur van het slot en stapte de keuken in. Er leek niets veranderd. Binnen was het net zo stil als op die bewuste vrijdagmorgen. Toch was het een andere stilte. Deze stilte voelde alsof het de sfeer van verlatenheid ademde. Alsof het huis rouwde om zijn bewoners.

Benders voelde zich onbehaaglijk toen hij de piepende deur naar de hal opende. Hoewel hij zich sterk had gemaakt, kon hij niet voorkomen dat het beeld van een week geleden weer voor hem opdoemde. Op de vloer van de hal zag hij de stille getuigen van wat zich hier een week geleden had afgespeeld. De aangebrachte krijtstrepen die de plaats van de gevonden lichamen markeerde, waren nog nadrukkelijk aanwezig.

Benders stapte met een eerbiedig gebaar om de markeringen heen en liep de kamer in. Deze was zeer eigentijds ingericht. Waar hij een stoffig eiken interieur verwachtte, zag hij een strak en modern ingerichte woonkamer. De designmeubels oogden apart en stijlvol. Producten van topontwerpers die ongetwijfeld een vermogen moesten hebben gekost. In de zwartleren stoelen rondom de eettafel herkende hij de beroemde Gispen-stoelen. Eline had daar ooit haar oog op laten vallen, toen ze zelf een nieuwe eethoek aan wilde schaffen, maar ze waren geschrokken van het prijskaartje.

Blijkbaar had dit niet gegolden voor de familie Kooiman. Benders besefte dat hij nog weinig inzicht had in wie zij waren geweest, de Kooimannen. Hij realiseerde zich ook dat dat te maken moest hebben met het gegeven, dat de zaak van de krantenjongen het onderzoek teveel had belemmerd. Hij vond dat daar verandering in moest komen. Wel had hij vernomen dat   Kooiman een vermogend man moest zijn geweest. Hij zou, vooral in de jaren zeventig goed hebben geboerd met zijn handel in bestrijdingsmiddelen voor de tuinbouw.

Benders richtte zijn blik op een familiefoto die in een glazen vitrinekast stond. De zwart-wit foto toonde het gezin Kooiman zoals het was geweest in de jaren tachtig. De vrouw op de foto was vermoedelijk de eerste vrouw van Kooiman. Zestien jaar geleden was zij overleden tengevolge van een verkeersongeval. Kooiman trouwde een jaar later met haar twaalf jaar jongere zus.

Benders wilde de vitrinekast openen om de foto te pakken, maar werd gestoord door een geluid, dat hij vanuit de keuken meende te horen. Hij draaide zich om en vroeg zich af of hij de keukendeur weer had gesloten, nadat hij naar binnen was gegaan. Als hij dat was vergeten, was het heel goed mogelijk dat een kat zich de toegang tot het huis had verschaft.

Hij wachtte even. Het bleef stil. Misschien had hij het zich alleen maar verbeeld. Hij draaide zich weer naar de kast en wilde juist opnieuw proberen de foto pakken toen hij achter zich hoorde hoe de deur van de kamer met kracht werd opengeslagen.

'Blijf godverdomme met je poten van onze spullen af!!'

Benders draaide zich geschrokken om. Een man van begin twintig keek hem met een verwilderde blik aan. Om zijn hoofd droeg hij een rode zweetband Waarschijnlijk bedoeld om het lange blonde piekhaar uit zijn gezicht te weren.

'Wat moet jij hier?', vervolgde de man snauwend.

Benders pakte zijn politiepas, maar bleef hem nauwlettend in de gaten houden. In de deuropening stond iemand die lijfelijk geweld vermoedelijk niet zou schuwen.

'Benders, recherche', zei hij zo kalm mogelijk. Hij deed een stap in de richting van de man en toonde zijn pas. 'En wie ben jij als ik vragen mag?'

Het bleef stil. Benders zag de blik van de ander door de

kamer schieten, alsof hij vermoedde dat er nog meer personen in de kamer aanwezig waren.

'Ben je hier alleen?' vroeg de man ten slotte.

Benders knikte. 'Ik ben hier voor onderzoek', zei hij. 'Maar
je hebt nog geen antwoord op mijn vraag gegeven.'

'Ik ben Vincent Kooiman. Wat denk je hier nog te vinden?'

'Laten we het erop houden dat ik de zaak nader onderzoek',
antwoordde Benders.

'En hoelang gaat dat nog duren?'

'Waarom vraag je dat?'

'Omdat ik wil dat je zo snel mogelijk vertrekt.'

Benders merkte dat het gedrag van de man hem begon te irriteren. 'Als er iemand hier zo snel mogelijk vertrekt, ben jij
dat', zei hij geprikkeld. 'Je hebt het recht niet om hier te
zijn.' Benders maakte een gebaar met zijn hand naar de deur.
'Dus als je zo vriendelijk wilt zijn,' vervolgde hij, 'dan kan
ik in alle rust mijn werk afmaken.'

'Leid jij het onderzoek?

'Ja.'

'Zij was de oorzaak van alles.' Hij wees naar een foto aan de
wand. 'Als die hoer hier niet was binnengedrongen, zou dit
nooit zijn gebeurd.'

Benders hoorde zijn haat. Hij keek naar het portret waar
Vincent naar had gewezen en zag een vriendelijk lachende
vrouw van rond de veertig. Hij zag dat de vrouw veel gelijkenis vertoonde met de vrouw die hij op de gezinsfoto had
gezien en vroeg zich af of deze gelijkenis een beweegreden
van Kooiman was geweest om met haar te trouwen.

'Laat je niet misleiden door de gelijkenis', zei Vincent, alsof
hij de gedachten van Benders had gelezen. 'Die hoer kon niet
tippen aan mijn moeder.'

'Een beetje respect voor je overleden stiefmoeder zou je niet
misstaan, jongeman.'

Vincent lachte smalend. Benders zag zijn verachting. Uit de

rekensom die hij snel in gedachten maakte, stelde hij vast dat Vincent ongeveer zeven jaar moest zijn geweest toen zijn moeder overleed.

De jongen had op zeer jonge leeftijd de belangrijkste vrouw in zijn leven verloren, overdacht hij. Hij vroeg zich af waartoe dat had geleid. Hij keek Vincent onderzoekend aan en bedacht ineens dat hij hem nog niet had gevraagd naar de reden van zijn bezoek, en deed dit alsnog: 'Waar kwam je hier eigenlijk voor?'

Benders zag zijn aarzeling. Vincents ogen schoten opnieuw door de kamer en bleven uiteindelijk rusten op de vitrinekast. Het antwoord verraste Benders.

'Ik kwam voor de foto van mijn moeder', zei hij, wijzend naar het familieportret.

'Maandag wordt de woning vrijgegeven', zei Benders. 'Tot zolang zal je geduld moeten hebben.'

De jongen keek hem woedend aan. Benders bereidde zich voor op een aanval, maar Vincent draaide zich om en verliet vloekend de woning.

Zodra hij de buitendeur weer in het slot hoorde vallen, pakte Benders de foto uit de vitrinekast en bekeek hem aandachtig. Hij zag de gelijkenis met de man die zojuist teleurgesteld zijn ouderlijk huis had verlaten. Voorzichtig plaatste hij de foto terug in de glazen kast en vervolgde zijn onderzoek.

Minutieus zocht hij de vertrekken af. Opende lades van kasten en vroeg zich ondertussen af waarom dieven zo schaamteloos tussen de persoonlijke bezittingen van andere mensen konden wroeten. Ondanks dat zijn aanwezigheid volkomen legaal genoemd kon worden, voelde hij zich bezwaard. Zorgvuldig plaatste hij de spullen terug in de kasten en lades die hij overhoop had gehaald.

Tijdens de zoektocht vond hij niet de antwoorden die hij zocht. Alles duidde op een geordend huishouden, waar geen ruimte scheen voor verborgen geheimen. Alsof de bewoners waren voorbereid op ongewenste zoektochten.

Na een uur vertrok hij. Hij had niets van enig belang kunnen ontdekken. Buiten was het gestopt met sneeuwen en een aarzelende winterzon perste zich door het wolkendek.

6

Het eerste dat Benders opviel, nadat hij het bureau was binnengestapt, waren de kleurrijke schilderijen aan de wanden in de ontvangsthal. Hij vroeg zich af wie verantwoordelijk was geweest voor deze metamorfose. Maar wie dat ook mocht zijn, hij ervoer het in ieder geval als een verbetering.

'Wat vind je van onze expositieruimte?', vroeg Van Raalte vanaf de trap.

De toon van ironie ontging hem niet. Blijkbaar deelde de brigadier zijn enthousiasme over de kunstwerken niet. 'Van wie zijn deze creaties?'

'Van onze commissaris', antwoordde van Raalte. Hij kwam naar beneden en wees Benders op de signatuur rechts onder een schilderij. *Nikka* stond er in zwarte letters geschilderd. 'Opvallend veel rood', zei Van Raalte lachend. 'Vind je niet? Volgens mij heeft onze commissaris een voorkeur voor bloedige taferelen.'

Benders knikte. 'Ik zal haar je complimenten overbrengen', zei hij.

Van Raalte verbleekte. 'Als je dat verdomme maar laat. Dat mens heeft mij toch al niet zo hoog zitten.'

Benders schudde glimlachend zijn hoofd. Van Raalte stond bekend om zijn buitengewone talent zijn superieuren ongewild tegen de haren in te strijken. Ondanks zijn goede bedoelingen zou hij het om die reden nooit veel verder schoppen dan de functie van brigadier.

'De commissaris heeft me gevraagd jou naar haar toe te sturen,' zei Van Raalte, 'maar dat is inmiddels alweer een halfuur geleden.'

Benders knikte en liep door. Hij was laat. Eindelijk had hij eraan gedacht zijn auto weg te brengen voor een APK. De garagehouder had hem een leenauto meegegeven, maar dat bleek een automaat te zijn. Bij het wegrijden was hij tegen een pui van de showroom aangereden, waarop de eigenaar van de garage een andere auto voor hem had moeten regelen. Terwijl hij de trap opliep, keek hij op zijn horloge. Hij was al drie kwartier te laat voor de afspraak met Buskers. De kans dat de man zolang op hem zou hebben gewacht, was klein. Toch opende hij de deur van zijn kamer in de hoop dat Buskers het geduld op had kunnen brengen, maar de kamer was leeg.

Benders vloekte en liep naar de kamer van de commissaris.

Nikka stond op het moment dat hij binnenstapte met de rug naar hem toe voor het raam. Hij had niet geklopt en vroeg zich juist af of ze hem wel binnen had horen komen, toen hij haar hoorde zeggen: 'Ga zitten, Frank.'

Benders bleef verbaasd naar haar rug kijken en nam plaats op een stoel voor haar bureau. Iets in de houding van Nikka beviel hem niet. Het was een afwerende houding.

'Ik heb zojuist de heer Buskers gesproken', zei Nikka, nadat ze zich had omgedraaid. 'Jij had een afspraak met hem, heb ik begrepen?'

Benders knikte. De toon bevestigde zijn vermoeden. Ze klonk geïrriteerd. 'Dat klopt, ja, maar ik......'

'Dat jij een afspraak niet na kunt komen, neem ik je niet kwalijk', onderbrak Nikka hem hard. 'Wat ik je wel kwalijk neem, is je nonchalance om dit niet te melden.'

'Sorry.'

'Beetje goedkoop, Frank Benders. Buskers heeft na tien minuten wachten bij mij aangeklopt en mij om uitleg gevraagd. Ik kan je zeggen dat ik me daar een beetje ongemakkelijk onder voelde.' Ze ging tegenover hem zitten en keek hem vorsend aan. 'Als jij het vermoeden hebt, dat je je door jouw reputatie dit soort privileges kunt veroorloven kan ik je zeggen dat ik dit niet tolereer. Van jou niet en van niemand.'

Benders keek haar perplex aan. Hij dacht terug aan hun vertrouwelijke gesprek deze ochtend en vroeg zich af wat er gebeurd kon zijn. Deze verandering kon onmogelijk uitsluitend door zijn nonchalante gedrag zijn veroorzaakt.

'Wat is er gebeurd, Nikka?', vroeg hij. 'Zo ken ik je niet.'

Hij zag haar twijfel, maar daarna maakte ze een afwerend gebaar.

'Buskers maakt zich zorgen om zijn vrouw', negeerde ze zijn vraag. 'Hij zei dat hij bang was, dat haar zwakke gezondheid niet is opgewassen tegen de gebeurtenissen van de afgelopen dagen. Hij vroeg me om haar zoveel mogelijk met rust te laten.'

Benders knikte. 'Wat hcb je hem geantwoord?'

'Ik ben bang dat ik hem heb teleurgesteld.'

'Wat heb je dan gezegd?'

'Dat het hier geen sociale instelling is. Dat, wanneer het onderzoek dat noodzakelijk maakt, zijn vrouw verhoord moet worden.'

'Hoe reageerde Buskers?'

'Eerst begon hij zwaar te ademen. Ik was bang dat er een woedeaanval zou volgen, maar hij herstelde zich en vertelde me wel begrip te hebben voor ons standpunt, maar dat we van een gesprek met zijn vrouw niets mochten verwachten.'

'Waarom niet?', vroeg Benders verbaasd.

'De vrouw van Buskers spreekt al jaren niet meer', antwoordde Nikka. 'Twaalf jaar geleden verloren de Buskers een zoon. Het was hun enig kind. De jongen was met zijn fiets onder een trein terechtgekomen. Vanaf die tijd leeft mevrouw Buskers, zoals haar man dat verwoordde, in een voortdurende shocktoestand.'

Benders staarde een poosje peinzend naar een opengeslagen krant op Nikka's bureau. Hij herinnerde zich de reactie van de vrouw, nadat er was bevestigd dat de gevonden jongen in de sloot de krantenjongen bleek te zijn. De vrouw had inderdaad geen woord uitgebracht, maar reageerde wel zeer geëmotioneerd op dat bericht. Ongetwijfeld zou de dood van Dennis Rigby bij haar herinneringen hebben opgeroepen aan de dood van haar eigen zoon.

'Maar hij heeft me weten te overtuigen dat zijn vrouw niets zou kunnen toevoegen aan wat wij al wisten', vervolgde Nikka. 'Ik denk dus dat het verstandig is de wens van Buskers te respecteren.

Benders knikte. Het speet hem Buskers zelf niet te hebben gesproken, maar betwijfelde of dat van waarde zou zijn geweest.

*

Onderweg naar de vergaderruimte vroeg Benders zich af of het geplande werkoverleg zinvol zou zijn. Er waren geen nieuwe feiten aan het licht gekomen. Feitelijk zat het onderzoek naar de poldermoorden muurvast.

Hetzelfde kon worden gezegd van de zaak Dennis Rigby. In overleg met de commissaris was ervoor gekozen een speciaal daarvoor geformeerd team samen te stellen, dat zich zou bezighouden met het zoeken naar Colin Rigby. Pas als de vader van de verongelukte krantenjongen werd gevonden, verwachtte hij beweging in deze zaak te krijgen.

Tot zover moest hij proberen zich te concentreren op de poldermoorden. Meerdere keren had hij al geprobeerd zich een voorstelling te maken van de dader die ze zochten. Hoe zag hij eruit? In welke relatie stond hij tot zijn slachtoffers? Was het een man? Zou het een vrouw kunnen zijn? Het beeld bleef leeg. Hij besefte dat er nog onvoldoende energie was gestoken in het leren kennen van de mensen die het dichtst bij de slachtoffers hadden gestaan. Wat wisten ze bijvoorbeeld van Walter en Nelleke Kooiman? Hij nam zich voor daar verandering in aan te brengen. Evenals Vincent waren zij immers belanghebbenden met betrekking tot het vermogen dat Kooiman had nagelaten.

'De dood van Dennis Rigby heeft ons diep geraakt', opende Benders de vergadering. 'We hebben er een zaak bij gekregen die onze grootste aandacht vraagt. Er is om die reden besloten het team met zes man uit te breiden. Deze mensen zullen zich in hoofdzaak gaan bezighouden met de zaak Rigby en zich in eerste instantie concentreren op het vinden van de vader van de verongelukte krantenjongen.'
'Waarom hecht je zoveel waarde aan het vinden van Colin Rigby?', onderbrak Kootstra.
'Omdat ik antwoord wil krijgen op de vraag waarom Rigby zich nog niet uit eigen beweging bij ons heeft gemeld', antwoordde Benders.
'Wil je daarmee suggereren dat Rigby iets met de dood van zijn zoon te maken kan hebben?'
'Ik suggereer niets', antwoordde hij.
'Maar je houdt er rekening mee.'
Benders keek de Friese rechercheur geïrriteerd aan. 'Ja', zei hij. 'Ik houd open dat het zo kan zijn.'
'Beetje vergezocht', zei Kootstra. Hij keek de kring rond, maar zag al snel dat zijn kritiek geen bijval oogstte. 'Maar goed,' vervolgde hij, 'het is natuurlijk maar een veronderstelling.'
'Een veronderstelling die in ieder geval de moeite waard is om te onderzoeken', mengde Nikka zich in de discussie. 'Ik ben het met Frank eens, dat het opmerkelijk genoemd kan worden wanneer een vader geen initiatieven toont na de vermissing van zijn zoon.'
'Misschien weet hij er niets van', opperde Paula.
'Als dat het antwoord is op mijn vraag, zou mij dat geruststellen', zei Benders 'Tot zover gaat de zoektocht naar Rigby

verder.' Hij keek de kring rond en zag een instemmend geknik. Daarna nam hij de poldermoorden door, waarbij hij Kootstra vroeg nog eens kritisch naar het alibi van Vincent Kooiman te willen kijken.

'Onzin', zei Kootstra. 'Het alibi van de jongen is waterdicht. Zijn vriendin heeft met haar hand op haar hart verklaard, dat Vincent die nacht bij haar is geweest. Daarbij komt dat ik nu mijn handen vol heb aan de autodiefstallen van de afgelopen maanden.'

Benders keek naar Nikka, maar de commissaris bevestigde dat de autodiefstallen hen inderdaad handenvol werk gaf. Hij negeerde vervolgens de blik van Kootstra en presenteerde zijn plan van aanpak voor de komende week. Daarna sloot hij de vergadering af.

7

Het was een glasheldere dag en vrijwel windstil. Benders was uit zijn leenauto gestapt en keek naar het rimpelloze water waar twee eenden hem luid kwetterend leken te verwelkomen.

Walter Kooiman zou op een woonboot aan de Oosterhaven in Enkhuizen wonen. Benders raadpleegde zijn notitie om zich ervan te verzekeren, dat hij op het juiste adres was aangeland. De boot die in het water lag, had geen nummer, maar - omdat hij verder geen boten in de haven zag liggen - gokte hij het erop.

Hij keek veelbetekenend naar Paula, voordat hij de loopplank opliep. 'Wacht jij maar even', zei hij.

De loopplank kraakte vervaarlijk onder zijn gewicht. Benders vroeg zich juist af of de plank hem wel zou houden, toen hij de gestalte van Kooiman in de deuropening zag verschijnen.

'U hoeft niet bang te zijn!', riep hij Benders toe. 'De loopbrug is vorig jaar nog vernieuwd.' Benders keek hem wantrouwend aan. Pas toen hij eenmaal de reling in zijn handen voelde, haalde hij opgelucht adem alsof hij aan de dood was ontsnapt.

Paula was vlak achter hem aangekomen. Haar vedergewicht was zonder krakende protesten door de planken geaccepteerd.

Ze liepen naar binnen en kwamen in een onbeschrijfelijke rommel terecht. Benders vroeg zich af hoe een mens in deze chaos kon leven

Kooiman leek er geen moeite mee te hebben. Behendig baande hij zich een weg langs rondslingerende kledingstukken, afgedankte stereoapparatuur, verroeste tuinmeubelen en opgerolde stukken vloerbedekking, tot ze in een ruimte belandden die tot Benders' verwondering haaks op de chaos stond die ze zojuist waren gepasseerd.

'Neemt u plaats', zei Kooiman. Hij wees naar twee houten stoelen voor een groot raamkozijn dat uitzicht bood over de haven.

Benders keek om zich heen. Hij vermoedde dat hij was terechtgekomen in de werkruimte van een keramist. Tegen de korte achterwand zag hij een hoge vitrinekast, waarin verschillende werkstukken pronkten. Aan de lange wand tegenover het raamkozijn hingen meerdere planken waar diverse potten glazuur en in plastic verpakte rode en grijze klei stonden opgeslagen. Daarnaast stond een houten werktafel, waarop diverse gereedschappen als spatels, mesjes en kwasten geordend naast elkaar lagen uitgestald. Midden in de ruimte stond een beeldengroep. Vier mensfiguren leken hem aan te staren. Ingetogen. Wezenloos grijnzend. Levensgrote kleifiguren. Plomp, bonkig en ruw. Hij verbaasde zich over de herkenbaarheid en de alledaagse menselijke uitstraling van deze keramieken.

Hij ging zitten en keek naar de man die kortgeleden het laken zo ruw had teruggeslagen over het gezicht van zijn overleden stiefmoeder. 'Ik kan u helaas nog weinig melden over de voortgang van ons onderzoek', begon Benders. 'Het is voor ons dan ook van belang dat we meer te weten komen over de omstandigheden, waaronder uw vader en stiefmoeder hebben geleefd.'

Walter knikte. Voor alle duidelijkheid,' zei hij, 'ik heb het niet gedaan.'

Benders staarde hem verbaasd aan. 'Wij zijn hier niet gekomen om u te beschuldigen', zei hij. 'We zijn hier om met u over uw vader en stiefmoeder te praten. We willen erachter zien te komen waarom ze zijn vermoord.'

Kooiman ging naast zijn beelden staan en keek Benders aan. 'U gelooft dus niet in een roofmoord?'

'Justitie hecht geen waarde aan geloven. Wij worden geacht te weten. Zolang wij nog niet overtuigd zijn dat roofmoord het enige motief is geweest, moeten wij alle opties open houden.'

'Wat voor opties?'

'Dat weten wij nog niet. Wij zijn hier om van u te horen wat voor mensen uw vader en uw stiefmoeder waren. Waarom, anders dan om roof, zij vermoord zouden kunnen zijn.

Walter trok nadenkend aan zijn kin. 'Ik begrijp niet goed waar u op doelt', zei hij. 'Maar goed, als ik u ermee kan helpen. Over mijn vader kan ik u vertellen dat het een hardwerkende man was. Werk leek zijn enige passie. Als vader heb ik hoegenaamd niets aan hem gehad. Over mijn stiefmoeder kan ik weinig anders zeggen dan dat ze het aangeboren talent bezat om mensen te manipuleren.'

'Mocht u haar niet?'

'Dat heb ik me nooit afgevraagd. Ik heb Bea nooit toegelaten in mijn wereld. Ze was de vrouw van mijn vader.

'Uw broer noemde haar een hoer.'

'Vincent is altijd wat extreem in zijn uitlatingen. Het is zijn manier van zeggen dat hij niet goed met haar kon opschieten.'

'Uw broer vertelde mij ook dat uw stiefmoeder de schuld van alles was. Dat, als zij niet met uw vader was getrouwd, dit alles niet zou zijn gebeurd.'

Walter draaide zich naar de keramiekbeelden, alsof hij hen wilde vragen te reageren op de uitlatingen van de inspecteur. Daarna richtte hij zich weer tot Benders. 'Zoals ik u al eerder zei bezat Bea het talent om mensen te manipuleren. Om ze te kneden tot de vorm die zij in haar gedachten had. Zoals zij daar.' Hij knikte naar de poppen naast hem. 'Maar Vincent is geen willoze pop. Het is een jongen met een sterke eigen wil. Hij liet zich door haar niet kneden.

'En hoe was de verhouding met Vincent en zijn vader?'

'Slecht. Die twee konden niet door één deur. Maar trek daar geen conclusie uit. Ik heb Vincent vlak voor de crematie op de man af gevraagd of hij onze vader en stiefmoeder heeft vermoord. Hij zwoer me dat niet te hebben gedaan en ik geloof hem. Als dat wel het geval was geweest, had hij niet geschroomd mij dat te vertellen.'

Benders verbaasde zich over deze ongevraagde toelichting. Hij dacht terug aan zijn ontmoeting met Vincent. Misschien was het lichtzinnig van hem geweest de knaap zomaar te laten gaan. 'Voor alle duidelijkheid,' vervolgde Kooiman. 'Ik zou het natuurlijk niet hebben goedgekeurd.'

'Maar u zou er wel begrip voor hebben gehad?'

'Dat is nu niet aan de orde, inspecteur.Vincent is onschuldig, ik zie dus niet in waarom ik op deze vraag in moet gaan.'

Benders knikte. Hij kon zijn teleurstelling over dit antwoord nauwelijks verbergen. 'Ik kan u natuurlijk niet dwingen', zei hij zo beheerst mogelijk.

'Nee, dat kunt u ook niet. Hebt u nog meer vragen?'

Benders schudde zijn hoofd. 'Voorlopig niet. Ik wil alleen nog van u weten waar u zich in de nacht van de elfde op de twaalfde februari bevond.'

'Ik was hier, in mijn atelier', antwoordde hij beslist. 'Ik werk graag 's nachts en in de vroege ochtenduren.'

'Kan iemand dat bevestigen?'

Kooiman keek naar de poppen naast hem, alsof hij de beelden wilde vragen voor hem te getuigen. Daarna schudde hij langzaam zijn hoofd.

'Vreemde man', zei Paula, nadat ze achter het stuur had plaatsgenomen.

Benders knikte. Hij was het met Paula eens. Kooiman was moeilijk te doorgronden. De man had bij hem geen moment de indruk gewekt, geraakt te zijn door het gebeurde. Alsof datgene wat zijn vader en stiefmoeder was overkomen tot de dagelijkse gebeurtenissen behoorde. Niet belangrijk. Geen voorval om te lang bij stil te staan.

'Had jij eerder van deze man gehoord?', vroeg hij.

Paula startte de motor en schudde haar hoofd. 'Nee', antwoordde ze. 'Waarom dacht je dat?

'Hij is keramist,' verklaarde Benders, 'evenals Marit.'

Paula schudde andermaal haar hoofd. 'Ik kan me zijn naam niet herinneren.'

Ze passeerden de stadswal van Enkhuizen. Een dikke, langgerekte muur, die in vroegere jaren de bevolking van dit stadje tegen ongenode gasten moest beschermen.

Kooiman, overdacht Benders, heeft ook een muur rondom zichzelf opgetrokken. Een muur dic hem moet beschermen tegcn hen die een kijkje willen nemen in zijn gevoelswereld. Hij vroeg zich af welke middelen hij in kon zetten om deze muur tc slopen.

'Ik weet het weer', onderbrak Paula plotseling zijn overpeinzing.

Benders keek haar aan. 'Wat weet je weer?', vroeg hij verbaasd.

'Die poppen. Ik denk dat ik ze eerder heb gezien. Het was tijdens een expositie waar Marits werk ook stond. Ik weet bijna zeker dat het dezelfde poppen waren, maar de naam Walter Kooiman zegt me niets.'

Benders knikte en maakte Paula attent op een wegomlegging. 'Ga maar over de dijk,' zei hij, 'dat is het snelste.'

Ze reden de dijk op. Aan de golven in het IJsselmeer zag Benders dat de wind was toegenomen. Voor de avond en nacht werd er storm verwacht. Volgens de berichten moest er in het hele land rekening worden gehouden met harde rukwinden.

'Rij niet zo idioot hard', zei Benders. 'Het lijkt wel of je achterna wordt gezeten.'

Paula liet het gaspedaal los. 'Denk jij dat hij zijn vader en stiefmoeder heeft kunnen vermoorden?'

'Ja, natuurlijk zou hij dat hebben gekund. Hij heeft geen alibi en een redelijk motief.'

Paula schakelde terug en nam een haakse bocht naar rechts. Een troep meeuwen, bezig met een kadaver, vloog even op van de dijk en keerde krijsend terug zodra ze gepasseerd waren.

'Maar?'

'Wat maar?'

'Hij zou het hebben kunnen gedaan. Maar?'

Benders beet op zijn lip. Het was nog geen moment bij hem opgekomen dat Kooiman de moordenaar zou kunnen zijn. Waarom niet? Hij moest het antwoord daarop schuldig blijven.

'Maar je kunt het je niet voorstellen', hielp Paula. 'Je kunt je niet voorstellen dat er zonen bestaan die hun vaders op zo'n beestachtige manier kunnen doden.'

'Daar gaat het helemaal niet om', zei Benders. 'Het gaat er om of wij wel of niet aannemelijk kunnen maken dat Kooiman zijn vader en stiefmoeder heeft omgebracht. Zolang wij daar niet toe in staat zijn blijft het pure speculatie.'

'Maar je hebt er toch wel een idee over?'

'Je rijdt weer te hard', negeerde Benders haar vraag.

Paula minderde opnieuw vaart. Ze passeerden de dijkwoning waar Nelleke Verberne woonde. De zus van Walter Kooiman was aan het werk in de tuin. Voor het huis was een man bezig een auto te wassen. Een zo goed als nieuwe Landrover, herkende Benders. Ooit was het zijn jongensdroom geweest zo'n auto te bezitten. Het leek hem fantastisch om met zo'n door vier wielen aangedreven terreinwagen langs de kustlijn van het Noordzeestrand te crossen, maar zijn politiesalaris bleek nooit toereikend om zich een dergelijke luxe te kunnen veroorloven.

Naast de auto lag de dobermann waarvan Benders zich kon herinneren dat hij Tonca heette. Hij vroeg zich af of de man de echtgenoot van Nelleke was. Hij wilde het weten. Hij was nieuwsgierig naar de connectie die Verberne had met Colin Rigby, of er meer was dan een zakelijk contact. Ook wilde hij weten hoe Nelleke over haar vader en stiefmoeder dacht. Of zij de mening van haar broer deelde.

'Ga maar rechtsomkeer', gebood hij Paula.

Zodra ze het erf naderden, kwam de dobermann overeind en begon te blaffen. De man staakte zijn werkzaamheden en liep met grote passen op de hond af. Een ogenblik later zag Benders hoe hij het beest in zijn flank trapte. De dobermann kromp ineen. Benders las de pijn in zijn ogen.

Waarschijnlijk waren het de dicht klappende portieren die de hond voor een verdere afstraffing behoedde.

De man draaide zich om en keek uitdagend naar zijn bezoekers. 'Wat moeten jullie hier?'

Nelleke was inmiddels naar voren gelopen en stond bij het tuinhek. Benders verwachtte dat ze zou uitleggen dat Benders en Paula van de politie waren en met welk doel ze hier vermoedelijk waren. Maar er gebeurde niets. In plaats daarvan bleef ze apathisch naar de man staren, alsof ze wachtte op zijn goedkeuring om te mogen spreken.

Benders toonde zijn legitimatie. 'Recherche, wij zijn hier in verband met het onderzoek inzake de moord op.....'

'Mijn schoonouders', onderbrak de man. 'Zeg dat dan meteen. Kom verder. Mijn naam is Otto. Otto Verberne.'

Benders zag dat het gelaat van Verberne plotsklaps was veranderd. De grimmige blik waarmee hij zijn bezoekers had verwelkomd, had plaatsgemaakt voor een beminnelijkheid die niet paste bij de man die zojuist zijn hond bijkans had doodgetrapt. 'U had het ook te druk met het mishandelen van uw hond', beet hij Verberne toe.

De man glimlachte. 'Tonca kan wel tegen een stootje', zei hij. 'Als ik hem had laten gaan, had hij jullie gegrepen.' Hij liep naar het tuinhek en sommeerde de dobermann hem te volgen.

Benders moest onmiddellijk denken aan hun voorgaande bezoek. De hond had bij die gelegenheid geen enkele poging gedaan hen aan te vallen.

Nelleke opende het tuinhek en keek haar man vragend aan, alsof ze een opdracht van hem verwachtte, en die volgde dan ook.

'Verwen jij onze bezoekers eens, Nel.' Verberne draaide zich om en keek de rechercheurs om beurten aan. 'Wat drinken jullie, thee, koffie? Of een borrel misschien?'

Benders bleef bij het tuinhek staan en schudde zijn hoofd. 'Doe geen moeite,' zei hij, 'we zijn zo weer vertrokken.'

Verberne leek even uit het veld geslagen, alsof het antwoord van Benders hem verraste. 'Zoals u wilt', zei hij timide.

Benders nam de man tegenover hem op. Hij was niet groot, maar had een gespierd lichaam. Sportschool waarschijnlijk. Zijn kale hoofd stond vrijwel direct op zijn romp, alsof de schepper zijn nek was vergeten. Verberne riep bij hem associaties op met een legerofficier.

'Komt u ons vertellen dat u de moordenaar te pakken hebt?' Benders liep een eindje de tuin in en bleef voor een kale vlinderstruik staan. 'Waarom denkt u dat?', vroeg hij.

'U zei dat u van plan was om zo weer te vertrekken', verklaarde Verberne. 'Uw boodschap moet dus kort zijn.'

Benders schudde zijn hoofd en stak zijn handen in zijn zakken. Hij zag dat Verberne geïrriteerd begon te raken en richtte zich tot Nelleke, die al die tijd zwijgend bij het tuinhek was blijven staan. 'We zijn zojuist bij uw broer geweest', zei hij. 'We hebben het met hem over uw vader gehad. Hij vertelde ons dat uw stiefmoeder nogal de neiging had om mensen haar wil op te leggen, deelt u die mening? '

Ze schudde haar hoofd. 'Walter is anders', zei ze.

'Wat bedoelt u daar precies mee?'

Nelleke haalde haar schouders op. 'Gewoon, Walter is een buitenbeentje.'

'Jullie moeten mijn zwager niet serieus nemen', mengde Verberne zich in het gesprek. 'Hij spoort niet helemaal. Hij kletst tegen poppen en.....'

'Kop dicht, Verberne', onderbrak Benders hard. 'Er is jou niets gevraagd.'

Nelleke maakte zich los van het tuinhek en ging naast haar man staan, alsof ze Benders daarmee duidelijk wilde maken achter het gedrag van haar partner te staan. 'Walter en Bea lagen elkaar niet zo', zei ze 'Het waren elkaars tegenpolen.'

Benders knikte. 'En Vincent?', vroeg hij verder. 'Volgens Walter dacht hij er net zo over.'

'Walter en Vincent zijn twee handen op één buik.'

'En hoe was dat tussen u en uw stiefmoeder?'

'Uitstekend, Bea en ik konden goed met elkaar opschieten.'

'En u?', vroeg Benders, kijkend naar Verberne. 'Kon u het goed vinden met uw schoonmoeder?'

'Ik had geen problemen met Bea.'

Het viel Benders op dat Verberne geen seconde over het antwoord had hoeven nadenken. Toch miste hij de spontaniteit, maar vermoedelijk had dat te maken met de man zijn karakter.

'Goed', vervolgde Benders. 'Dan heb ik nog een andere vraag: de naam Colin Rigby, zegt u dat wat?

'Rigby zei u?'

Benders knikte. Hij was ervan overtuigd dat Verberne de vraag herhaalde om na te denken over het antwoord.

'Ik ken een Colin Rigby die mij in het verleden wel eens hielp bij het restaureren van jukeboxen', vervolgde Verberne. 'Maar ik heb het laatste halfjaar geen contact meer met hem gehad.'

Het leek een kopie van het antwoord dat Benders eerder van Nelleke had gehoord.

'U doet dus geen zaken meer met hem?'

Verberne schudde zijn hoofd. 'Nee', zei hij. 'De handel in jukeboxen ligt op zijn gat. Ik heb Rigby dus niet meer nodig.'

'U had uitsluitend een zakelijke relatie met Rigby?'

'Dat klopt, ja.'

Benders hoorde iets van opluchting in dat laatste antwoord. Alsof Verberne het als een bevrijding beschouwde niets meer met Rigby te maken te hebben. Hij keek de man onderzoekend aan en stelde vast, dat de handelaar in jukeboxen zich niet op zijn gemak voelde. 'Hebt u nog meer vragen?', vroeg Verberne.

Benders haalde de handen uit zijn zakken en keek quasi geïnteresseerd op zijn horloge. 'Ik wil alleen nog van u weten waar u zich bevond ten tijde van de moord', zei hij kalm.

Verberne deed een stap naar voren en keek Benders dreigend aan. 'Je wilt godverdomme toch niet beweren dat........'

'Gewoon antwoorden, Verberne. Dit is een routinevraag, geen beschuldiging.'

'Wij lagen in bed', haastte Nelleke zich te antwoorden.

'Zoals waarschijnlijk de meeste mensen rond dat tijdstip', voegde Verberne daar snauwend aan toe.

Benders knikte en draaide zich om. Hij zag hoe de dobermann achter het tuinhek jacht maakte op een kat. Het viel hem op dat het beest allesbehalve soepel liep. Hij dacht onmiddellijk aan de trap die hij Verberne de hond had zien geven.

'Ik adviseer u om met uw hond naar de dierenarts te gaan', zei hij tegen Nelleke. 'Het beest loopt kreupel.' Daarna wenkte hij Paula. 'Ga je mee?', vroeg hij.

Verberne volgde hen onmiddellijk naar het tuinhek. 'Waar bemoei jij je mee', beet hij Benders toe. 'Wij maken zelf wel uit of we met dat beest naar de dierenarts gaan.'

Benders draaide zich om. 'Het was maar een advies', zei hij. 'Uw vrouw vertelde mij dat Tonca voor haar een levende herinnering aan thuis is. Ik zou dat soort herinneringen koesteren.'

8

Benders zat rechtop in bed. Terwijl de harde wind aan het raam rukte, overwoog hij naar beneden te gaan om een borrel te drinken. Of zou hij toch maar weer een poging ondernemen om in slaap te komen? Hij luisterde naar de wind die tot een orkaankracht leek te zijn toegenomen en besloot voor de borrel te gaan.

Zonder licht te maken sloop hij naar beneden en vloekte binnensmonds, nadat hij zijn kleine teen tegen de deurpost had gestoten. Uit de kelderkast pakte hij een fles cognac en schonk zichzelf in. Hij nam plaats voor het achterraam en staarde de donkere tuin in. Hij voelde zich neerslachtig. Gisteravond had hij knallende ruzie met Eline gehad. Ze had een reis naar Rome geboekt. Over precies zes dagen zouden ze voor tien dagen vertrekken. Hij had haar verweten te voorbarig te zijn geweest. Gezegd dat het nog de vraag was of hij daar tijd voor vrij kon maken. Ze was woedend geworden. Zo furieus had hij haar in geen jaren meegemaakt. Er volgde een waslijst met verwijten. Hij beantwoordde haar woede met dichtsmijtende deuren en zei haar dat ze wat hem betrof alleen naar Rome kon gaan. Daarna heerste de stilte. Alleen de aangewakkerde wind was nog hoorbaar.

Later realiseerde hij zich dat hij een fout had gemaakt. Maar omdat hij niet wilde toegeven, duwde hij dat besef te lang van zich af. Pogingen daarna om zijn bezwaren af te zwakken mislukten. Ze ging naar bed en verzocht hem de logeerkamer te nemen. Daar had hij de slaap niet kunnen vatten en was het weer eens tot hem doorgedrongen hoezeer zijn politiebestaan zijn leven beheerste. Hij was er nog steeds niet in geslaagd daar verandering in te brengen.Al meerdere keren had Eline hem dit verweten. Nu had hij een grens overschreden. Als ze besloot voorgoed bij hem weg te gaan, zou hij dat

aan zichzelf te danken hebben. Dat besef maakte hem neer-slachtig en tegelijkertijd opstandig
Voorzichtig nipte hij aan zijn cognac. Hij zou morgen met Nikka praten. Hij zou haar vragen hem van deze zaak af te halen en voorstellen om de leiding aan Kootstra over te dra-gen. Hij kon dan de autodiefstallen van de Friese rechercheur overnemen.

Hij nam nog een slok en vocht tegen de stemmen in zijn hoofd die zeiden dat hij het zichzelf zou gaan verwijten. Dat hij spijt zou krijgen het onderzoek los te hebben gelaten.

'Godverdomme!', vloekte hij. 'Ik kan het niet.' Hij gooide het laatste restje cognac naar binnen en schonk een tweede glas in. Daarna stond hij op en begon heen en weer door de kamer te lopen. Het zou een mirakel zijn wanneer hij de zaak Kooiman binnen zes dagen wist af te ronden, besefte hij.

Zuchtend nam hij plaats aan de eettafel. De cognac brandde in zijn lege maag. Hij dacht aan Colin Rigby. Hij begreep nog steeds niet waarom de man zich niet had gemeld. Zijn zoon was inmiddels begraven, maar hij had taal noch teken van zich laten horen. Wanneer Rigby de dood van zijn zoon op zijn geweten had, zou dat inderdaad - zoals Nikka had opgemerkt - duiden op een ziekelijke geest.

Maar Benders kon zich dat onmogelijk voorstellen. Hij kende de man niet, maar op een dergelijke manier je eigen zoon om het leven brengen, achtte hij vooralsnog onwaar-schijnlijk. Zoals ook de hele zaak van de poldermoorden hem onwaarschijnlijk voorkwam.

Zijn gedachten verplaatsten zich naar zijn bezoek aan Otto en Nelleke Verberne. Hij vond Verberne een buitengewoon onsympathieke man. Zijn huiswerk had hem geleerd, dat de man niet geheel onbekend was bij justitie. Kleine vergrijpen, zoals heling met gestolen jukeboxen en iets met een uitke-ringsfraude, maar geen delicten waarbij geweld was gebruikt. Hij verdiende zijn kost met het restaureren van

jukeboxen en gokautomaten en zou daarnaast een gedeelte-
lijke WAO-uitkering ontvangen.

Nelleke Verberne leek hem een volgzame, zelfs wat slaafse
vrouw, die haar twintig jaar oudere man adoreerde. Of misschien wel bang voor hem was. Maar dit waren geen kwali-
ficaties om deze mensen als daders aan te merken.

Het beeld van die vroege vrijdagmorgen drong zich weer aan
hem op. Haat!, dacht hij. Wat hij die vrijdagmorgen had aangetroffen, was een explosie van haat.

Hij dronk zijn glas leeg en besloot om weer naar bed te gaan.
Terwijl hij overeind kwam uit zijn stoel, zag hij Eline in de
deuropening staan. Hij probeerde naar haar te glimlachen,
maar iets in haar blik zei hem dat hij dat beter kon laten.

'Ik heb besloten bij je weg te gaan', hoorde hij haar zeggen.
Benders ging weer zitten. Hij wist niet hoe hij hierop moest
reageren. Als een stom dier staarde hij naar de verlichte wij-
zers van de keukenklok. Het was tien minuten over vier.
Buiten hoorde hij de wind huilen.

*

'We wachten', zei Paula.

'Het is kwart over negen', zei Teulings. De technisch rechercheur tikte nadrukkelijk op zijn horloge.

Paula keek naar Nikka. De commissaris knikte. 'Ben heeft
gelijk', zei ze. 'Frank is al vijftien minuten te laat. Ik heb al
drie keer geprobeerd hem te bereiken, maar hij heeft zijn
telefoon uitstaan en thuis wordt er ook niet opgenomen.
Langer wachten is zinloos.'

Paula keek de kring rond, maar de gehoopte bijval bleef uit.
'Ik begrijp dit niet', zei ze. 'Er moet wat gebeurd zijn.'

Niemand reageerde. Nikka doorbrak de stilte door het dos-
sier Kooiman open te slaan en te vragen of er nieuwe ontwikkelingen waren.

Paula stak haar hand op en vertelde vlak voor de vergadering nog te zijn gebeld door mevrouw Zalm. 'Ze wilde eigenlijk Frank spreken, maar vroeg mij ten slotte om aan hem door te geven dat ze zich zorgen maakte over haar buurvrouw, mevrouw Buskers. Sinds de vermissing van de krantenjongen zou zij zich nogal zonderling gedragen. Ze zou regelmatig zonder jas naar buiten lopen om vervolgens urenlang in een onverwarmde schuur te verblijven.'

Nikka schudde haar hoofd. 'Dat mens kletst maar wat. Ze beweerde ook Dennis Rigby te hebben gezien. Achteraf bleek ze het uit haar duim te hebben gezogen. Volgens Frank gebruikt ze de gebeurtenissen van de afgelopen weken om haar verveling te verdrijven.'

'Negeren dus?'

Nikka reageerde niet, maar keek over Paula's schouder naar de deuropening en zei: 'Goeiemorgen, Frank.

Paula keek achterom. Ze zag Benders staan en keek hem aan. Ze kende deze blik. Ontoegankelijk.

'Wat is er gebeurd?', vroeg Nikka.

Benders ging naast haar zitten. 'Niets', zei hij. 'Gewoon verslapen.'

M'n reet, dacht Paula. Er is van alles gebeurd, maar je zou van goeden huize moeten komen om dit uit hem te krijgen.

'Waar waren jullie gebleven?', vroeg hij aan de commissaris.

Nikka herhaalde wat Paula had gezegd over mevrouw Zalm.

'Dat mens is gek', zei Benders.

'Negeren dus?', herhaalde Nikka Paula's vraag.

'Volkomen!', zei Benders beslist. 'We moeten onze energie niet verspillen aan die onzin.'

De vergadering duurde kort. Ze namen de rapporten door en kwamen tot de slotsom dat er geen feiten aan het licht waren gekomen die hen tot nieuwe inzichten bracht. De verblijfplaatsen van bekende overvallers op oudere mensen zouden worden nagetrokken. Er zou worden nagegaan of ze nog in gevangenissen verbleven of onlangs waren vrijgelaten. Het buurtonderzoek in Oostdorp zou worden uitgebreid en er zou een vragenformulier worden gestuurd naar alle vierendertig-honderd huisadressen in de gemeente.

Daarna liet Benders in een donderpreek weten niet tevreden te zijn over de voortgang van het onderzoek. Hij slingerde met verwijten en zei sommige mensen ervan te verdenken dat zij zich niet voor de volle honderd procent inzetten. Dat ze zich drukker maakten om hun privébesognes dan om de zaak waaraan ze werkten.

Teulings onderbrak hem met de vraag om welke personen het dan wel ging, maar Benders weigerde namen te noemen. Hij zei dat de betreffende personen dat zelf het beste wisten.

Maar Paula miste de overtuiging. Ze was er zeker van dat hij uit zijn nek kletste. Dat zijn slechte humeur er de oorzaak van moest zijn dat hij zo onredelijk was. Ze besloot dan ook om in de aanval te gaan. 'Hoe durf jij te beweren dat wij ons niet inzetten voor de zaak', beet ze hem toe. 'Zelf kom je doodleuk twintig minuten te laat op het werkoverleg. Zonder je daar maar een ogenblik voor te excuseren.'

Benders keek haar aan, terwijl hij over zijn neus streek. 'Dat is mijn zaak', zei hij. 'Ik voel me niet verplicht mijn excuses daarvoor aan te bieden.'

'Maar wel om met verwijten te slingeren?'

'Ja.'

Paula keek hem perplex aan. Dit was niet de Frank Benders die ze kende. Deze man was haar volkomen vreemd.

*

Benders verliet de provinciale weg bij de afslag Oosterleek. Paula zat naast hem. Ze hadden nog geen stom woord tegen elkaar gezegd en Benders begon zich daar steeds ongemak-kelijker bij te voelen. Hij begreep heel goed dat Paula hem zijn gedrag kwalijk nam. Hij was onredelijk geweest. Misschien had hij er beter aan gedaan om zich deze ochtend ziek te melden. Hij had zich niet verslapen, hij had helemaal niet geslapen.

Nadat Eline hem had gezegd dat ze had besloten bij hem weg te gaan, had hij in een impuls zijn jas aangetrokken en was vertrokken. Hij was tegen de harde wind in naar de stad gelopen en had een uurlang door het centrum gedoold. Het lukte hem daar niet zijn gedachten op orde te krijgen.

Tijdens zijn dwaaltocht vond er zeer snel een weersomslag plaats. De harde wind ging liggen en het werd aanzienlijk kouder. Hij werd overvallen door flarden mist, waardoor hij moeite kreeg zich te oriënteren. Hij moest denken aan opsporingsberichten, waarin melding werd gemaakt van vermiste personen die hun woning in overspannen toestand hadden verlaten. Hij vroeg zich af of hij zichzelf nu kon rekenen tot die personen. Daarna wist hij zich te vermannen en keerde huiswaarts.

'Je rijdt er voorbij!'

Benders keek geschrokken naar Paula. 'Heb jij een herberg gezien dan?'

'Die zijn we zojuist gepasseerd', antwoordde ze afgemeten.

Benders zag zich genoodzaakt door te rijden. Keren op deze smalle dijk was onmogelijk.

Alfred Kooiman moest aan de dijk tegenover een café genaamd "De Herberg" wonen. Benders had hun bezoek telefonisch aangekondigd. Het was hem opgevallen dat de broer van de vermoorde Kooiman zeer kort van stof was. Toen hij vertelde met welk doel hij en Paula zouden komen en vroeg of elf uur hem schikte, volstond Kooiman enkel met "ja", zonder daar verder iets aan toe te voegen. Onmiddellijk daarop verbrak hij de verbinding en vroeg Benders zich af of Alfred Kooiman hem wel had begrepen.

Kooiman als mogelijke dader was niet aan de orde.

Onderzoek had duidelijk gemaakt dat de man over een waterdicht alibi beschikte. Op de dag van de poldermoorden lag hij in het ziekenhuis om te herstellen van een herniaoperatie. Na enkele honderden meters wist Benders zijn auto te keren op een boerenerf. Nagestaard door luid blatende schapen reed hij de dijk in tegengestelde richting terug en stopte voor het woonhuis van Alfred Kooiman. De houten dijkwoning was klein en de staat van onderhoud slecht. Benders schatte de woning op meer dan honderd jaar. Op het dak ontbraken enkele nokvorsten en de verveloze windveren lagen gedeeltelijk los over het pannendak. Benders bedacht dat met een beetje moeite en aandacht van dit kleine daglonerhuis een plaatje kon worden gemaakt. Maar vermoedelijk ontbrak het de bewoner aan energie of miste hij de ambitie om het in verval geraakte monumentje nieuw leven in te blazen.

Hij wilde het tuinhek openen, maar merkte dat het onderste scharnier het had begeven, waardoor hij het hek gedeeltelijk op moest tillen.

Blijkbaar gewaarschuwd door het piepende scharnier, verscheen een man in de deuropening. 'Laat dat hek maar openstaan', zei hij tegen Benders.

Benders knikte en keek naar de man die dik en rond was. Hij hield de handen in zijn zakken en keek onverschillig naar zijn bezoekers.

Benders schatte hem rond de zestig. 'Bent u meneer Kooiman?', vroeg hij.

De man knikte.

'Wij komen.....'

'Ja ja, komt u maar verder.'

Ze liepen achter hem aan het woonhuis in en kwamen terecht in een kleine vierkante ruimte, waar het daglicht door de gesloten vitrage nauwelijks kans kreeg om binnen te dringen. De schaars gemeubileerde kamer maakte op Benders een deprimerende indruk. Hij kreeg visioenen over zijn eigen toekomst. Binnen afzienbare tijd zou hij over een andere woonruimte beschikken. Ze hadden voorlopig afgesproken dat Eline in het huis zou blijven wonen. Hij vroeg zich af of Kooiman ook een gescheiden man was. Of hij en zijn vrouw ook ooit als vrienden uit elkaar waren gegaan. Eline had hierop gehamerd. Geen rancune, had ze gezegd. "Ik wil dat we als vrienden uit elkaar gaan."

'Wat willen jullie van me weten?', onderbrak Kooiman zijn gepeins.

'Wij hebben gehoord dat u bij uw broer hebt gewerkt', begon Benders. 'U zou daar beheerder van het magazijn zijn geweest.'

De man knikte. 'Twintig jaar', zei hij.

'Wat was uw broer voor een man?'

'Paul?'

'Als dat de naam van uw vermoorde broer is, dan bedoelen we hem, ja.'

'Paul was een hufter. God hebbe zijn ziel, maar het was een hufter.'

'Waarom vond u dat?'

'Hij deugde niet.'

'Kunt u ons uitleggen wat er niet aan hem deugde?'

'Waarom wilt u dat weten?'

Benders zag dat de man zijn wenkbrauwen had opgetrokken, alsof hij oprecht verbaasd was over deze vraag.

'Wij zoeken de moordenaar van uw broer', zei Benders. 'Het is voor ons onderzoek van belang om erachter te komen wat uw broer voor een man was. Wat er bijvoorbeeld niet aan hem deugde.'

De man staarde de ruimte in. Hij leek zich af te vragen of hij er niet beter aan deed om te zwijgen. 'Ik heb er geen belang bij dat u de moordenaar vindt', zei hij ten slotte.

Benders keek hem verrast aan. 'Maar u......'

'Geen enkel belang!', herhaalde hij beslist. 'Hebt u dat goed verstaan?'

Benders voelde een ergernis opkomen. Hij was niet in de

stemming om met deze man in debat te gaan over het wel of niet hebben van enig belang in het vinden van de moordenaar. 'Geef antwoord!', snauwde hij.

Kooiman keek met harde blik terug. 'Zoek liever de moordenaar van die jongen. Dan doen jullie tenminste iets nuttigs.'

'U bedoelt Dennis Rigby?', nam Paula over. Ze was een stap naar voren gekomen en keek Kooiman vragend aan. 'Kende u Dennis?'

'Ik kende Colin, zijn vader.'

'Waarvan?'

Colin heeft het elektra aangelegd in de bedrijfsschuur en in het woonhuis van mijn broer. Handige kerel trouwens, al dacht mijn broer daar anders over.'

'Wat bedoelt u?'

'Paul was van mening dat Colin knoeiwerk had geleverd.'

'Hebt u Colin goed gekend?'

Voor het eerst haalde de man de handen uit zijn zakken. Hij pakte een stoel onder de eettafel vandaan en ging zitten. Daarna maakte hij met een handgebaar duidelijk dat de rechercheurs zijn voorbeeld konden volgen.

'Colin was een fijne vent. Ik beschouwde hem als een vriend.' Hij streek met zijn hand over de tafel.

Benders zag dat de hand groot en krachtig was en dat hij een gouden zegelring met inscriptie droeg.

'Mijn broer heeft hem besodemieterd. Hij heeft hem bij lange na het bedrag niet betaald waar hij recht op had.'

'Hoe reageerde Colin daarop?', vroeg Benders.

'Hij was woedend. Hij kwam bij mij. Als er problemen waren, kwam hij altijd bij mij. Ook als dat wijf hem weer eens had uitgedaagd.'

'Dat wijf?'

'Bea, de vrouw van Paul. Colin moest niets van haar hebben, maar dat geile kreng had haar zinnen op hem gezet.'

'Wist uw broer daarvan?'

'Paul wist overal van, er ontging hem niets.'

Benders hoorde zijn afschuw. Hij vroeg zich af wat de man had bewogen om twintig jaar voor iemand te blijven werken die hij verafschuwde.

'Wanneer hebt u Colin voor het laatst gezien?', vroeg Paula.

'Het laatste halfjaar heb ik hem niet meer gezien of gesproken. Daarvoor kwam hij nog regelmatig bij me langs. Weet je, het klikte tussen ons. Ik begreep zijn problemen.'

'Wat voor problemen?', vroeg Paula.

'Colin was verslaafd. Alcohol en drugs. Dat zette zijn relatie met Eva onder druk.'

Paula knikte. 'Maar als het tussen jullie klikte,' zei ze, 'waarom hebt u hem dan een halfjaar niet gezien of gesproken?'

Kooiman haalde zijn schouders op. Het leek een vermoeid gebaar, alsof hij ermee wilde zeggen dat het vinden van het antwoord op die vraag een lange, maar vergeefse zoektocht was. 'Ik heb wel zo mijn vermoedens', zei hij ten slotte aarzelend. Daarna keek hij de rechercheurs doordringend aan. 'De verslaving van Colin kostte veel geld', vervolgde hij. 'Geld dat hij niet had. Hij raakte daardoor in de criminaliteit verzeild. Kreeg verkeerde vrienden en gleed af naar de onderkant. De laatste keer dat ik hem sprak, vertelde hij me dat hij het komende jaar van plan was om veel geld te gaan verdienen. Daarna wilde hij met zijn gezin naar Engeland terugkeren om daar een nieuwe start te maken en een eigen bedrijfje te beginnen. Hij klonk opgewekt en zelfverzekerd, maar toen ik hem vroeg hoe hij dacht dat in een jaar tijd voor elkaar te krijgen, reageerde hij afwijzend. "Dat waren mijn zaken niet," zei hij, "maar het zou allemaal goed komen."'

In de stilte die volgde, dacht Benders na over wat Kooiman hem zojuist had verteld. Het zou een aanvaardbaar motief kunnen zijn voor moord. 'Denkt u dat uw vriend Rigby iets te maken kan hebben met de moord op uw broer?', vroeg hij. De man stond op uit zijn stoel en schudde zijn hoofd. Het viel

Benders op dat het opstaan hem moeite kostte. Blijkbaar was Kooiman nog niet geheel hersteld van zijn rugoperatie. Of de operatie had niet tot het gewenste resultaat geleid.

'Vergeet u dat maar, inspecteur', antwoordde Kooiman. 'Colin is misschien niet de braafste, maar hij is beslist geen moordenaar.'

Benders had Paula gevraagd om terug te rijden. Hij had verklaard zich vermoeid te voelen. Ze had geknikt en was, zonder hem een blik waardig te gunnen, zwijgend achter het stuur gaan zitten.

Hij besefte dat hij niet langer verstoppertje kon spelen. Ze had recht op een verklaring voor zijn onmogelijke gedrag. 'We gaan uit elkaar', zei hij, nadat ze het smalste gedeelte van de dijk waren gepasseerd.

Paula keek hem vragend aan.

'Eline en ik gaan uit elkaar', verduidelijkte hij. Het viel hem zelf op hoe onwezenlijk, hoe formeel, het klonk. Alsof het een dienstmededeling was.

Paula minderde vaart. 'Dat meen je niet, Frank.'

'Zou ik het anders zeggen?'

Ze zette de auto aan de kant en trok met kracht de handrem aan.

'Was je daarom…..?'

Benders knikte. 'Zo laat, ja. Achteraf besefte ik dat ik me beter ziek had kunnen melden.'

Paula zuchtte. 'Klootzak', zei ze. 'Waarom kom je daar nu pas mee?'

Benders haalde zijn schouders op. 'Dit zijn geen berichten om van de daken te schreeuwen.'

'Nee, maar het zou wel je onmogelijke gedrag hebben verklaard.'

Ze zwegen. Buiten was de lucht aan het betrekken. Ergens krijste een meeuw.

'Mag je hier wel parkeren?', vroeg Benders.

'Heb je het aan zien komen?'

'Nee. Of misschien ook wel. Misschien zag ik het wel, maar wilde ik het niet zien.'

'Ik vind het klote voor je, Frank, maar misschien is het ook wel een beetje je eigen schuld.'

'Volgens mij mag je hier niet staan.'

Paula startte de motor weer en vervolgde hun weg. 'Wat zeggen je kinderen?'

Benders besefte plotseling dat hij er nog geen ogenblik aan had gedacht om zijn kinderen te bellen. 'Dat weet ik niet', zei hij. 'Ik ga ze vanavond bellen.'

'Heb je vrienden? Ik bedoel vrienden naar wie je toe kunt gaan.'

Benders schudde zijn hoofd. 'Er komt wel een oplossing', zei hij. 'Maak je over mij maar geen zorgen.'

'Maar dat doe ik juist wel. Ik ken je een beetje en ik....'

'Ik wil dat je terugrijdt', zei hij plotseling. 'Ik wil dat je terugrijdt naar Alfred Kooiman.'

Paula keek hem perplex aan. 'Waarom in godsnaam zouden we terugrijden?'

'Doe nou maar wat ik zeg', zei hij dwingend. 'Ik leg het je straks wel uit.'

Vijftig meter verder draaide Paula bij een tankstation. 'Waarom in godsnaam?', herhaalde ze.

'Je vroeg me zojuist of ik vrienden heb. Vrienden naar wie ik toe zou kunnen gaan. Kooiman had het ook over vrienden. Colin Rigby verzeilde in de criminaliteit, omdat hij verkeerde vrienden zou hebben. Ik wil weten wie die vrienden waren.'

'De vrienden van Colin?'

Benders knikte.

Kooiman zat op zijn knieën. Hij was bezig met de reparatie van het tuinhek en keek Benders wantrouwend aan. 'Jullie komen helemaal terug om mij te vragen naar de vrienden van Colin?'

Benders probeerde een glimlach op zijn gezicht te toveren. 'U zou er ons een enorme dienst mee bewijzen', zei hij.

Kooiman kwam moeizaam overeind. 'Buitenlanders', zei hij. 'Zweden volgens mij. Colin had het vaak over iemand die Stefan heette. Stefan Eriksson.'

*

Benders keek verloren om zich heen. Hij wist zich nauwelijks raad met de nieuwe situatie, waarin hij was terechtgekomen, en twijfelde erover of hij het ging redden. Eline had hem gistermiddag gebeld en gezegd dat een collega van haar een appartement wist waar hij direct in kon trekken. De broer van deze collega zou voor een jaar in het buitenland verblijven en vond het prima, dat een politieman gedurende deze tijd zijn intrek in het appartement zou nemen.

De deal was snel gemaakt. Te snel misschien. De huurprijs van nog geen vijfhonderd euro was redelijk voor dit luxe, smaakvol gemeubileerde tweekamerappartement, dat was gelegen aan de buitenkant van de stad en uitzicht bood over het Markermeer. Hij had kunnen volstaan met het pakken van zijn persoonlijke eigendommen.

Op een vreemde manier werd hij bij binnenkomst overvallen door een mengeling van gevoelens van opluchting en eenzaamheid. Hij bleef lange tijd besluiteloos om zich heen staan kijken. Daarna pakte hij de tas met boodschappen uit, slikte twee tabletten om een opkomende hoofdpijn te bestrijden en besloot om een douche te nemen.

Nadat hij de kranen nauwelijks had opengedraaid, hoorde hij het melodietje van zijn mobiele telefoon. Hij twijfelde, maar liep toch naar de kamer om op te nemen. Tot zijn ergernis kwam hij te laat.

Na zich aangekleed te hebben, merkte hij dat zijn hoofdpijn was afgenomen, maar dat zijn neerslachtigheid nog zwaar op hem drukte. Buiten zag hij hoe een koppel meeuwen krijsend langs zijn balkon scheerde. Op de radio hoorde hij dat er die nacht een maansverduistering te zien zou zijn.

Ineens bedacht hij weer dat hij zijn kinderen moest bellen. Hij vroeg zich juist af hoe zij zouden reageren, toen de telefoon voor de tweede keer om zijn aandacht vroeg. Het was Femke.

'Had je al eerder gebeld?', vroeg hij om zijn boodschap uit te stellen. 'Ja, natuurlijk heb ik je al eerder gebeld', zei ze. 'Jij doet het niet.'

'Ik wilde je bellen, maar…'

'Mama heeft me gebeld. Hoe voel je je?'

'Hoe zou ik me voelen?'

'Klote waarschijnlijk, maar het is natuurlijk wel een beetje je eigen schuld.'

Benders slikte. 'Ik zit niet te wachten op jouw verwijten', zei hij geprikkeld.

'Ik verwijt je niks. Het komt allemaal door je werk bij de politie. Je had nooit politieman moeten worden. Dat werk vreet aan je.'

Benders zweeg. Hij had moeite om in de spiegel te kijken die zijn dochter hem voorhield.

'Red je het wel alleen, pa?'

'Ja. Je hoeft je om mij geen zorgen te maken.'

'Dat doe ik natuurlijk wel. Hoe is het met de zaak waar je aan werkt? Is die jongen al gevonden?'

'Ja, die jongen is gevonden. Dood.'

Benders vertelde wat er was gebeurd. Na afloop hoorde hij een vloek. Ze lijkt op mij, dacht hij. Als ze kwaad wordt begint ze te vloeken.

'Denk je dat hij….'

'Het is niet realistisch om dat niet te denken. Hoe is het met

jou? Wanneer kom je hier naartoe?'
'Misschien dit voorjaar nog.'
'Misschien?'
'Ik ben aan het sparen voor mijn terugreis.'
'Je terugreis? Betekent dat, dat je voorgoed terugkomt?'
'Ja.'
'Maar….?'
'Ik leg het je wel uit als ik weer thuis ben.'

Hij beëindigde het gesprek met de hoop uit te spreken haar van het voorjaar te zien en verbrak de verbinding. Daarna gebeurde er niets meer. De avond kroop voorbij. Hij dronk een cognac en herhaalde dit enkele malen.

Buiten was het opvallend donker. Het was kwart over twaalf. De nacht was minder helder dan voorspeld. Er was geen maansverduistering te zien.

9

Benders klopte op de deur van Nikka Landman. De cognac van gisteravond schrijnde nog in zijn maag. Hij had teveel gedronken en was in de stoel voor de balkondeuren in slaap gevallen.

Hij was wakker geworden van een geluid, dat vanuit een naastgelegen vertrek leek te komen. Omdat hij het hem onbekende geluid niet thuis kon brengen, ging hij op onderzoek uit. Tijdens deze actie stootte hij zijn hoofd tegen een aluminium lamp in de hal. Daarna liep hij vloekend de galerij op en ontdekte dat de herrie van de bovenburen afkomstig moest zijn. Hij besefte dat hij in een gehorig appartementencomplex woonde. Hoewel het lawaai na enkele minuten niet meer te horen was, kon hij de slaap niet meer vatten.

Ver na middernacht nam hij het belachelijke besluit om Eline te bellen, maar nadat hij de telefoon twee keer over had laten gaan, kwam hij tot het besef dat hij een idioot was. Hij moest de moed opbrengen de feiten onder ogen te zien. Eline was tenslotte duidelijk genoeg geweest. "Ik wil alleen verder. Nu het nog kan."

Nog voor Nikka hem had gezegd binnen te komen, stapte hij haar kamer binnen. Hij ging tegenover haar zitten en vertelde wat hij gisteren van Alfred Kooiman had gehoord.
'Stefan Eriksson?'
Benders knikte. 'Zo zou de man heten, ja. Waarschijnlijk is het een Zweed.'
Nikka schoof het toetsenbord van haar pc opzij, noteerde de naam en nam haar bril af.
'Hoe gaat het met je?'
'Ik red me wel.'
'Als je tijdelijk verlof wilt, kan ik dat voor je regelen.'

Benders schudde zijn hoofd. 'Ik wil dat je er zo snel moge-lijk achter komt of deze naam voorkomt op de lijst van gezochte misdadigers.'

Nikka knikte en keek hem aan. 'Je ziet er uit als een geest, Frank. Slaap je wel?'

'Ik ben laat naar bed gegaan. Ik heb gewacht op de maans-verduistering.'

'Er was geen maansverduistering te zien.'

Benders keek haar verward aan. 'Toch heb ik gewacht', bromde hij.

Nikka zuchtte en keek naar hem met iets dat op medelijden leek.

'Mevrouw Zalm heeft ook weer gebeld', veranderde ze van onderwerp. 'Ze had het weer over mevrouw Buskers. Ze zei dat ze zich zorgen maakt over het gedrag van haar buur-vrouw. Ze beweert gezien te hebben, dat mevrouw Buskers in haar schuur iets in brand had gestoken.'

'Dat mens is paranoïde', zei Benders. 'We moeten haar nege-ren, dan houdt ze vanzelf op.' Nikka zette haar bril weer op en trok het toetsenbord naar zich toe. 'Toch wil ik dat een van jullie erheen gaat', zei ze beslist. 'We kunnen ons geen mis-calculaties veroorloven.'

Benders voelde een hevige irritatie opkomen. 'We werken aan een moordonderzoek!', zei hij hard. 'Er is geen tijd om ons bezig te houden met paranoïde buurvrouwen.'

Nikka negeerde de woede van Benders door in hoog tempo haar vingers over het toetsenbord te laten glijden. 'Stuur Paula maar naar de familie Buskers', gebood ze ondertussen. 'Tenslotte is brandstichting een strafbaar feit.'

Uit de toon waarop Nikka sprak, maakte Benders op dat ver-dere tegenspraak geen zin had. Hij zuchtte en maakte aanstal-ten om op te staan toen hij Nikka hoorde zeggen, dat de auto-diefstallen die de afgelopen maanden hadden plaatsgevonden, zich verplaatst leken te hebben naar de regio Alkmaar.

'Tjeerd vertelde me dat de werkwijze veel overeenkomsten vertoont met de diefstallen die in onze regio plaatsvonden', vervolgde ze. 'Hij onderzoekt nu of er landelijk vergelijkbare diefstallen zijn gepleegd. Wellicht kan er sprake zijn van een georganiseerde bende.'

Benders verbeet zijn ergernis. Hij vroeg zich af waarom Nikka zo plotseling was geswitcht naar de zaak waaraan Kootstra werkte. Deed ze dat om hem op zijn nummer te zetten? Omdat hij niet moest denken, dat alleen de zaak waar hij aan werkte haar belangstelling had?

'Laten we dan maar hopen dat die bende zo snel mogelijk wordt opgerold', zei hij zo neutraal mogelijk.

Nikka knikte en haalde haar handen van het toetsenbord. 'Ik heb daar alle vertrouwen in', zei ze. 'Hoewel het nog maar de vraag is of Tjeerd zijn karwei mag afmaken.'

'Waarom twijfel je daaraan?', vroeg Benders

'Als er sprake is van een georganiseerde bende die landelijk opereert, wordt het vermoedelijk een zaak voor de rijksrecherche', antwoordde Nikka. Daarna draaide ze de monitor een halve slag om en wees Benders op het scherm. 'Dit is wellicht de man die je zoekt', zei ze. 'Hij noemt zich onder andere Stefan Eriksson, maar dat is een valse naam. Zijn werkelijke naam is Sune Boman. Hij heeft meerdere geweldsdelicten op zijn naam staan. De Zweedse politie is al een tijd op zoek naar hem.'

Verrast staarde Benders naar het scherm. De man die hij zag had een rond, pokdalig gezicht. Het leek op het gezicht van iemand die de wereld verachtte. Hij loenste enigszins en in zijn rechterwenkbrauw ontdekte Benders twee piercings.

'Twee jaar geleden ontsnapte hij uit een gevangenis in Stockholm', vervolgde Nikka. 'We moeten hem beschouwen als een levensgevaarlijke misdadiger.'

Benders knikte. 'Het is natuurlijk niet helemaal zeker of dit de man is die wij zoeken', zei hij weifelend.

'Nee', zei Nikka. 'Dat weten we pas als we hem hebben gevonden.'

Benders hoorde haar ironie en mompelde iets onverstaanbaars ten antwoord. Hij keek nogmaals naar het portret op het scherm. Midden dertig schatte hij. De man had een afschrikwekkend uiterlijk. Hij voelde een koude rilling, alsof er plotseling een ijzige windvlaag door de kamer trok. Hij besefte dat de man die zich Stefan Eriksson liet noemen en wellicht in relatie stond met Colin Rigby, zo snel mogelijk gevonden moest worden.

Paula liep de gang in om Frank tegemoet te lopen. Ze had zojuist een bericht van de receptie gekregen, dat haar aan het denken zette. Er was gebeld dat er een fiets nabij de duiker, waar Dennis Rigby werd gevonden, uit het water was gevist. Volgens de beller was dat gisteren al gebeurd tijdens het uitbaggeren van een sloot. Hij zei dat hij deze ochtend met zijn vrouw over de vondst van de fiets had gesproken. Zij had hem erop gewezen dat hij daar melding van moest maken bij de politie, omdat het wel eens iets te maken kon hebben met de dood van de krantenjongen. Hoewel de man dat zelf betwijfelde, omdat er aan de fiets geen fietstas zou zitten, zag hij het toch als zijn plicht de politie te informeren over de vondst.

Paula had tijdens het noteren van het bericht een lichte onrust gevoeld. De kans dat de gevonden fiets de fiets van Dennis Rigby was, was weliswaar klein door het ontbreken van de fietstas, maar daar kon ook een aannemelijke verklaring voor zijn. Ze had direct de verspreider van het *Noordhollands dagblad* gebeld met de vraag hoe een fietstas aan een fiets werd bevestigd. Het antwoord van de man versterkte haar vermoeden dat het kon gaan om de bewuste fiets. De verspreider zei dat de tas door middel van een riempje aan de bagagedrager werd bevestigd. Maar uit ervaring wist hij te vertellen, dat de jongelui van tegenwoordig daar nogal non-chalant mee omgingen. Ze waren vaak te beroerd om dat riempje vast te maken, waardoor hij al meerdere fietstassen was kwijtgeraakt.

Onmiddellijk daarop had ze Frank gebeld, maar zijn mobiel stond uitgeschakeld. Vervolgens belde ze de commissaris, van wie ze te horen kreeg dat hij zojuist haar kantoor had verlaten.

'Zo-even werd er gebeld', begon ze zodra ze Frank tegen-kwam. 'Er is gisteren een fiets uit het water gehaald nabij de plek waar de krantenjongen is gevonden. Het kan heel goed zijn fiets zijn.'

Benders keek haar vragend aan. 'De fiets van Dennis Rigby?'

Paula knikte. 'Zullen we?'

'Zullen we wat?'

'Ja Jezus, Frank, wat dacht je. Naar de plek waar de fiets uit het water is gevist natuurlijk.'

Benders schudde zijn hoofd. 'Ik ga niet mee', zei hij. 'Laat de fiets voor onderzoek naar het bureau brengen en vraag Teulings of hij ter plaatse een onderzoek instelt. Jij gaat naar de familie Buskers.'

'Wat moet ik bij de familie Buskers?'

'Je moet de oude vrouw Buskers vragen of het waar is dat ze de boel in de brand steekt.'

Benders maakte aanstalten om door te lopen, maar Paula pakte hem bij zijn bovenarm vast. 'Wat is dit voor onzin!', bitste ze. 'Waarom ga jij niet mee? En waarom zou mevrouw Buskers de boel in brand willen steken?'

'Omdat die paranoïde buurvrouw van haar dat gezien meent te hebben. En waarom ik niet mee ga, is omdat ik als de sode-mieter achter de verblijfplaats van Sune Boman wil komen.'

Paula liet hem los en keek haar chef niet-begrijpend aan.

'Vanmiddag om twee uur is er een vergadering', zei Benders.

'Ik hoop je dan meer te kunnen vertellen.'

*

Pas na drie keer bellen werd de deur voor Paula geopend. Freek Buskers stond in deuropening en was bezig zijn riem vast te gespen. Ergens vanuit de gang hoorde ze het closet vollopen. 'Neem me niet kwalijk,' verontschuldigde Buskers zich, 'ik zat juist op de wc toen u aanbelde.'
Paula knikte. 'Geen probleem', zei ze glimlachend.
Buskers ging haar voor naar de ruimte waar ze de laatste keer ook was geweest. Ze keek om zich heen, maar er was geen spoor van mevrouw Buskers te ontdekken.
'Is uw vrouw er niet?', vroeg ze
Buskers schudde zijn hoofd. 'Mijn vrouw is bij haar zus. Ik verwacht haar over een uurtje weer. Kan ik u ergens mee van dienst zijn?'
Paula keek in het blozende gelaat van Buskers. Ze vroeg zich af wat ze deze vredelievende man moest vertellen. Zijn vrouw beschuldigen van brandstichting? Onzin, dacht ze. Ze herinnerde zich hoezeer mevrouw Buskers zich het lot van Dennis Rigby had aangetrokken, hoe geschrokken ze had gereageerd op de boodschap dat de jongen was omgekomen. 'Ziet u mijn komst maar als een formaliteit, meneer Buskers', zei ze. 'Er is melding gemaakt van brandstichting. Volgens getuigen zou uw vrouw iets in brand hebben gestoken in de schuur.'
Buskers staarde haar geschrokken aan, maar schudde daarna zijn hoofd. 'Niet in de schuur', zei hij. 'Het is een oude gewoonte van Anna om het loof van de tuin achter de schuur te verbranden, ik heb haar al meer laten weten dat dat niet meer is toegestaan. Ze hoort het gewoon in de groenbak te gooien.

Paula knikte. 'Het is goed', zei ze. 'Hoe is het met uw vrouw? Is ze inmiddels van de ergste schrik bekomen?'

'Wilt u niet gaan zitten?', negeerde Buskers haar vraag.

Paula schudde haar hoofd. 'Nee, nee, ik ga zo weer.'

'Ze komt er wel overheen . Anna is een gevoelige vrouw. Hebben jullie de dader al te pakken?'

Paula overwoog of ze Buskers over de vondst van de fiets moest vertellen, maar besloot dat niet te doen. 'Nee,' antwoordde ze, 'we hebben nog steeds geen idee.'

'Maar dat kan toch zomaar niet', zei hij verontwaardigd. 'Het kan toch niet bestaan dat de dader op vrije voeten rond blijft lopen.'

Paula keek Buskers aan. De man leek oprecht verontwaardigd. Ze meende zelfs iets van verwijt in zijn stem te hebben gehoord, alsof hij haar persoonlijk verantwoordelijk hield voor het falen van de politie.

'Wij staan zelf ook voor een raadsel', bekende ze. 'Maar geloof me, we doen onze uiterste best om…..'

Buskers maakte een afwerend gebaar. 'Daar twijfel ik ook niet aan, maar weet je, het was zo een aardige, beleefde jongen.'

Paula knikte. 'Kende u hem goed?', vroeg ze.

'Niet echt goed', gaf hij aarzelend toe. 'Hij bezorgde bij ons de krant altijd keurig op tijd. Voor de kerst bracht hij ons de beste wensen, waarop ik hem twee euro gaf. Hij bedankte me daar uitvoerig voor en ik moet zeggen, dat ik dat wel anders heb meegemaakt.'

'Ik begrijp het', zei Paula. 'Het is een afschuwelijke zaak. Laten we maar hopen dat de dader snel wordt gevonden.' Ze gaf Buskers een hand en verliet de woning met het gevoel haar tijd te hebben verdaan.

*

'Er kan in de zaak Kooiman op korte termijn een doorbraak worden verwacht', opende Benders de vergadering. Hij vertelde over het hoe en het waarom van deze verwachting en zei te hopen dat de Zweed Sune Boman zo snel mogelijk zou worden gevonden. 'Er is een internationaal opsporingsbevel van kracht', voegde hij eraan toe. 'Het moet al gek gaan als we de komende maand niets te horen krijgen.' Daarna keek hij de kring rond en voelde een licht gevoel van duizeligheid opkomen. Hij had nog nauwelijks gegeten en voelde zich misselijk.

Naast hem hoorde hij het verachtende gesnuif van Kootstra. 'Beetje al te optimistisch, Benders', hoorde hij hem zeggen. 'Vind je niet?'

Benders keek de Friese rechercheur vernietigend aan. Uit de wandelgangen had hij vernomen, dat de autodiefstallen waaraan Kootstra werkte, waren overgedragen aan een speciale eenheid van de rijksrecherche. Naar verluidt beschouwde de Fries dit als een persoonlijke nederlaag en vermoedelijk reageerde hij dit nu af op Benders.

'Ik heb alle reden om daar optimistisch over te zijn', zei Benders fijntjes. 'Er is mij verteld dat hij zich vermoedelijk ophoudt bij onze oosterburen. Volgens onze collega's daar, zou het nog een kwestie van tijd zijn.'

Kootstra bromde iets onverstaanbaars, waarop Benders zich tot Teulings richtte. Hij vroeg de technisch rechercheur naar zijn bevindingen van de ochtend, op de plaats waar de fiets was gevonden. Teulings antwoordde dat het rijwiel op ongeveer twintig meter afstand van de duiker was gevonden. Het ging om een herenfiets. Hij schatte dat hij er niet langer dan een maand had gelegen.

'Hoe groot acht jij de kans dat het de fiets van Dennis Rigby is?', vroeg Benders op de man af.

'Het is nog te vroeg om daar iets met zekerheid over te kunnen zeggen', antwoordde Teulings. 'Maar het is heel goed mogelijk, dat het om de fiets van de krantenjongen gaat.'

'Waar baseer je die verwachting op?'

'Het was nog een vrij nieuwe fiets. Hooguit een jaar oud. Op het achterspatbord zat een plaatje van de leverancier. Ik heb deze leverancier gebeld met de vraag of hij zich kon herinneren dat er bij hem ongeveer een jaar geleden een nieuwe fiets van dit type en merk was verkocht aan Rigby. Hij antwoordde mij dat hij dat niet zomaar kon zeggen. Dat hij even tijd nodig had om dit uit te zoeken, maar toen ik het merk en het type voor hem herhaalde, begon hem iets te dagen. Hij meende zich de naam Rigby inderdaad te herinneren. Deze man zou hem hebben gevraagd of het mogelijk was de fiets op afbetaling te kopen. Toen hij vertelde dat hij daar niet aan kon beginnen, werd de man nogal agressief, maar de volgende dag was hij toch teruggekomen om het rijwiel te kopen.'

Benders viel stil. Hij begreep wat het kon betekenen als de fiets inderdaad van de krantenjongen bleek te zijn. Maar waarom hadden de duikers daar dan eerder niets gevonden? Hij had ze na de vondst van de jongen nadrukkelijk gevraagd het gebied rondom de duiker grondig af te zoeken.

Benders voelde hoe hij zich opwond over deze vraag. 'Waarom hebben die verdomde duikers die fiets niet gevonden?', beet hij Teulings toe.

Teulings haalde zijn schouders op. 'Dat is voor mij ook onbegrijpelijk', zei hij.

'Misschien zijn ze zover niet geweest', opperde Paula.

'Onzin', zei Benders. 'Ze hebben de opdracht gekregen om zowel noord- als zuidwaarts van de duiker tot op een afstand van twee kilometer de sloot af te zoeken.'

Nikka Landman stak haar hand op. 'Dat was nog niet gebeurd', zei ze. 'Ze hadden mij laten weten volgende maand aan dat karwei te kunnen beginnen.'

'Dit houd je toch verdomme niet voor mogelijk', foeterde

Benders. 'Wat is dit voor een amateuristisch gedoe?'
'De duikers hebben te kampen met een onderbezetting. Daar is niets amateuristisch aan, maar heeft alles te maken met een tekort aan overheidssteun.'
Benders gebruikte de stilte die volgde op deze terechtwijzing, om zijn herhaalde gevoel van duizeligheid het hoofd te bieden. Straks stort ik in, dacht hij in een vlaag van paniek.
De stilte werd plotseling onderbroken door een mobiele telefoon. Benders keek geschrokken op uit zijn gepeins.
Teulings trok zich discreet terug om een halve minuut later weer terug te keren. 'Dat was Van Vleuten,' zei hij, 'de leverancier. We kunnen ervan uitgaan dat de gevonden fiets van Dennis Rigby was.'
Het werd Benders zwart voor de ogen. Hij greep met beide handen de tafel vast, maar kon niet voorkomen dat hij onderuitzakte.

10

'De politie van Hoorn vraagt uw aandacht voor het volgende: op 23 februari werd het ontzielde lichaam van de vijftienjarige Dennis Rigby aangetroffen in een duiker nabij de polder van Oostdorp in de provincie Noord-Holland. De jongen droeg een blauwe spijkerbroek, een zwart nylon jack met op de rugzijde in witte letters het merk Puma en zwarte sportschoenen van het merk Nike. Dennis Rigby was circa één meter vijfenzeventig lang, had kort geknipt, donkerblond haar en een stevig postuur. De politie sluit een misdrijf niet uit en verzoekt om inlichtingen die kunnen leiden tot een opheldering in deze zaak.'

Het bericht, dat werd uitgesproken door een vrouw met een opmerkelijk vriendelijke stem, werd begeleid door een onduidelijke foto waar de jongen, getooid met baseballpet, tegen de zon leek in te kijken.

'Hadden ze geen andere foto kunnen nemen', liet Marit zich ontvallen, terwijl ze Paula haar thee aangaf.

Paula schudde haar hoofd en maakte Marit met een armgebaar duidelijk dat ze haar mond moest houden.

'Een ieder die inlichtingen kan verschaffen omtrent deze zaak wordt verzocht contact op te nemen met de politie in zijn of haar woon- of verblijfplaats of met de politie in Hoorn.'

Nadat de vrouw de telefoonnummers had vermeld, pakte Paula de afstandsbediening en zette het geluid zachter. 'Er waren nauwelijks foto's van de jongen', zei ze na twee slokken thee.

'Jullie hebben nog geen spoor van de dader?', vroeg Marit, nadat ze naast Paula op de bank was gaan zitten.

'Nee', antwoordde Paula naar waarheid. 'We hebben nog geen enkel idee.'

Marit trok Paula naar zich toe en schoof een onwillige lok van haar voorhoofd. Op de televisie demonstreerde een vrouw met welk gemak je kalkaanslag van tegels kon verwijderen.

'Denken jullie dat hij bewust is doodgereden?'

Paula schudde haar hoofd. Ze liet toe dat Marit haar borsten streelde en probeerde ervan te genieten. 'We hebben geen reden om dat te veronderstellen', zei ze, terwijl ze dichter tegen Marit aankroop. Ze merkte dat de vederlichte vingers van haar geliefde haar niet konden ontspannen en duwde zacht maar beslist Marits hand terug. 'Het is een akelige zaak', vervolgde ze. 'We weten niet meer waar we moeten zoeken.'

'Vond je het niet prettig?'

Paula maakte zich los van Marit. 'Ik ben er nu niet voor in de stemming.'

'Je bent er al veel langer niet voor in de stemming', reageerde Marit verwijtend. 'Ik vraag me af of je er ooit nog voor in de stemming komt.'

'Marit, doe niet zo kinderachtig. Ik heb een drukke week achter de rug; dit is gewoon niet het geschikte moment om...'

'Dit moment is net zo geschikt als alle andere momenten.'

Ze keken elkaar aan. Op de televisie kondigde een vrouw in een felrode coltrui een programma aan voor kunstliefhebbers.

'Ik heb naar deze avond uitgezien. Ik verlang naar je!'

'Toe nou, Marit', zei Paula zacht. Ze streelde de wang van haar geliefde. Ineens viel het haar op dat Marit ouder was geworden. Dat de lijnen in haar gezicht zich hadden verdiept. 'Ik kan je teleurstelling best begrijpen,' vervolgde ze, 'maar deze houding is wel een beetje kinderachtig.'

'Je begrijpt er geen moer van. Dat werk bij die kutpolitie vreet jou helemaal op. Sinds de vermissing van die krantenjongen zie je mij niet meer staan, alsof ik er verdomme wat aan kan doen dat dat joch dood is.'

Paula zuchtte. Ze had hier geen zin in. Een oude strijd, waarvan ze had gehoopt dat die voorbij was, werd hiermee weer opgerakeld. Ze haatte deze discussies.

'Het kost me al weken de grootste moeite om je te bereiken. Besef je wel wat dat voor mij betekent?'

'Goed!! Zeg het maar!! Het is allemaal mijn schuld. Ik verpest jouw hele leven. Is dat wat je kwijt wilde?' Ze sloeg met een wanhopig gebaar haar armen over elkaar en staarde naar de televisie. Een vrouw van midden veertig toonde de kijkers een beeld, waarvan het gezicht met een nietszeggende uitdrukking de camera in leek te staren. Het duurde een poosje, voordat Paula de wezenloze uitdrukking herkende.

'Natuurlijk verpest je mijn hele leven niet,' begon Marit op vergevende toon, 'maar ik zou willen dat je eens wat meer aandacht aan mij schenkt en mij niet steeds het gevoel geeft op de tweede plaats te komen.'

'Dat is verdomme het werk van Walter Kooiman.'

Marit keek haar woedend aan. 'Sinds wanneer ben jij meer geïnteresseerd in het werk van Walter dan in mij?'

Paula ging op het uiterste puntje van de bank zitten en keek Marit geschrokken aan. De manier waarop ze "Walter" had gezegd, deed vermoeden dat het om een gemeenschappelijke kennis ging, maar ze wist heel zeker dat ze zijn naam nooit tegenover Marit had laten vallen.

'Ken jij hem dan?'

Marit knikte. 'Ik heb hem meerdere keren ontmoet tijdens een expositie. Maar het verbaast me dat jij interesse hebt in zijn werk. Zo kleurloos, zo somber. Lijkt me niets voor jou.'

Paula schudde haar hoofd en pakte de afstandsbediening. 'Dat is het niet', zei ze nadat de beelden waren verdwenen. 'Ik heb niets met het werk van die man, maar ik ontmoette hem laatst als getuige in verband met de moord op het echtpaar Kooiman. De vermoorde man is Walters vader.'

*

'Het was mij al langer bekend dat je stronteigenwijs was', zei Nikka. 'Maar goed, het is jouw leven.'
'Ik was moe,' zei Benders, 'en had slecht gegeten. Dat is alles. Vannacht heb ik uitstekend geslapen. Ik voel me uitgerust en verdom het om in dat klotenappartementje te gaan zitten kniezen.'
Dat hij uitstekend had geslapen was een leugen. De bovenburen hadden hem dit onmogelijk gemaakt. Toch voelde hij zich wonderwel uitgerust. Joris was gisteravond bij hem langs geweest. Ze hadden lang gepraat. Langer dan dat hij ooit met zijn zoon had gesproken. Het had hem verbaasd hoe Joris de komende scheiding had opgenomen. "Ik had het wel aan zien komen, pa", had hij gezegd en hem vervolgens haarfijn uitgelegd waarom. Sinds zijn moeder jaren geleden al een keer tijdelijk het huis had verlaten, voelde hij dat het niet meer goed zat tussen zijn ouders. "Jullie hebben je best gedaan, maar het was gewoon op", liet hij Benders weten.
Zijn zoon had er lachend op laten volgen, dat hij blij was dat zijn vader hem had geleerd hoe het niet moest. Het duurde even voordat hij mee had kunnen lachen, maar daarna was het ijs voorgoed gebroken. Joris had veel over zichzelf verteld. Over hoe hij het werk bij de politie vond en dat hij zeker wist dit werk niet altijd te willen doen. Over zijn vriendin, met wie hij sinds drie maanden omging en van wie hij overtuigd was dat zij de vrouw was met wie hij verder wilde.
De openhartigheid van Joris had hem ontroerd. Het maakte hem blij te zien hoe zijn zoon hierin van hem verschilde.
'Het is jouw leven,' herhaalde Nikka, 'maar ik hoop niet nog een keer mee te maken dat er negentig kilo tegen me aan valt.'

'Sorry.'

Nikka lachte.

Benders lachte mee en voelde zich ontspannen. 'Maar ik neem aan dat je me niet bij je hebt geroepen om je beklag te doen over mijn ongewilde aanslag op jouw leven.'

Ze schudde glimlachend haar hoofd en zette haar bril op. 'Ik heb zojuist contact gehad met onze Duitse collega's', vervolgde ze ernstig. 'Ze hebben afgelopen nacht vergeefs een inval gedaan in de flat waar Sune Boman zou verblijven, maar de flat was leeg. Boman was gevlogen.'

'Verdomme!'

'Iets dergelijks zei ik ook, maar we zullen het onder ogen moeten zien.'

'Ze hebben dus geen idee meer waar hij nu kan zijn?'

'Nee. Hij kan overal zitten. Onze collega uit Bremen zei, dat hij vroeg of laat wel weer ergens op zou duiken. Hij was ervan overtuigd, dat hij vandaag of morgen tegen de lamp zou lopen. Hij rekende Boman niet tot de slimste in zijn soort.'

'Maar wel slim genoeg om aan hun aandacht te ontsnappen?'

'Domme pech, volgens collega Dietrich. Hij zou gebruik hebben gemaakt van de paniek die was uitgebroken, nadat de ochtend daarvoor een man van de flat was gesprongen. Postende agenten zagen zich gedwongen om te hulp te schieten.'

Benders vloekte andermaal. 'Het zal ook wel een keer meezitten', bromde hij.

'Ik heb commissaris Ernst Dietrich gezegd waar wij Boman van verdenken,' vervolgde Nikka, 'maar zijn reactie verraste me nogal.'

'Hoezo?', vroeg Benders verontrust. '

Dietrich zei me dat een dergelijke moord niet in het profiel van de Zweed past. Volgens hem valt de slachtpartij in Oostdorp niet te rijmen met zijn werkwijze.'

'Wat verstaat Dietrich dan onder de werkwijze van Boman?'
'Hij beschreef hem als een koelbloedige, berekende moordenaar', antwoordde Nikka. 'Dietrich zei dat hij zich slecht kon
voorstellen, dat de Zweed moeilijk zou gaan doen met een
mes. Dat zou hem te omslachtig zijn. Boman is het type van
snelheid en doelmatigheid.'

Benders viel stil. Snel en doelmatig waren de moorden in
Oostdorp niet geweest. Westphal had zelfs gezegd dat het
niet onmogelijk was dat de vrouw nog even had geleefd. Ze
was gestorven aan overmatig bloedverlies. Wanneer er op
tijd hulp was geboden, zou ze het misschien nog hebben
gered.

'Waar denk je aan?', vroeg Nikka.
'Ik denk eraan dat het past', antwoordde Benders.
'Dat het past?'

Benders knikte en stond op uit zijn stoel. 'Ik bedoel dat de
theorie van mijn Duitse collega past in wat ik zelf al eerder
had gedacht.'

Nikka bleef hem vragend aankijken.
'Dat het geen roofmoord is geweest', verklaarde Benders.
'Dat Boman niet de man is die wij zoeken. Tenminste niet
voor de moorden in Oostdorp.'

*

Op hetzelfde moment dat Paula het toetsenbord naar zich toe
trok, belde Marit haar op haar mobiel. Het eerste waar ze aan
dacht, was dat er iets was met Mike. Hun zoon was gisteren
de hele dag hangerig geweest en gisteravond hadden ze zijn
temperatuur opgenomen en bleek hij tegen de veertig graden
koorts te hebben. Vanmorgen zou Marit de huisarts bellen.
'Wat zei de dokter?', vroeg Paula onmiddellijk.
'Niets aan de hand', antwoordde Marit. 'Virusje. Hij heeft

een kuur voorgeschreven, maar daar bel ik niet voor.'

'Waarvoor dan?'

'Walter Kooiman. Raad eens wat?'

'Wat zou ik moeten raden?'

Ze hoorde Marit grinniken. 'Ik kreeg vanmorgen mijn vakblad voor keramisten', zei ze. 'Walter heeft zijn complete collectie verkocht. Waarde tachtigduizend euro.'

Vrijdagavond hadden ze uitgebreid gesproken over Walter. Feitelijk had hun gemeenschappelijke belangstelling voor deze man hun avond gered. De eeuwig terugkerende discussie over het te weinig interesse hebben voor elkaar werd door het gesprek over de keramist in de kiem gesmoord.

Marit zei dat Walter in hoog aanzien stond binnen het wereldje van beeldende kunstenaars. "De galeries vechten om zijn werk", beweerde ze. Zelf vond ze ook dat het werk van Kooiman van een uitzonderlijke klasse was. "Hij steekt ver boven de middelmaat uit."

Ze noemde Walter excentriek, maar beslist niet onaardig. Ze had hem meerdere keren meegemaakt bij exposities, waarbij het haar was opgevallen, dat hij vaak werd vergezeld door een veel jongere man.

Walter had zich tegenover Marit wel eens laten ontvallen, dat hij het haatte om te exposeren. Dat hij walgde van de snobs die de expositie bezochten, maar dat een mens nou eenmaal moest eten.

Marit was er ook van overtuigd dat de beelden van Walter commercieel veel meer uitgebuit hadden kunnen worden, maar dat hij wars was van al die commercie. "Geld," beweerde hij, "is voor veel mensen een middel om hun domheid te compenseren."

'Wie heeft de collectie van Walter gekocht?', vroeg Paula nieuwsgierig.

'Dat schijnt een Engelsman te zijn geweest', antwoordde Marit. 'Een een of andere lord.'

'Nodig die lord dan maar eens uit in jouw atelier.'

'Wij hebben dat geld toch niet nodig, schat. Wij zijn toch niet dom.'

Paula lachte. 'Zo zie je maar,' zei ze, 'vroeg of laat bezwijkt iedereen voor de verleiding.'

Ze verbrak de verbinding en haalde opgelucht adem. Niets aan de hand met Mike. Gelukkig. Ze haalde de beschermhoes van haar toetsenbord en begon de achterstallige rapporten over de zaak Kooiman bij te werken. Toch vreemd, dacht ze onderwijl, zo'n plotselinge verkoop. Niet alleen zijn beelden maar ook zijn principes had hij met deze daad verkocht. En waarom?

Paula dacht terug aan het bezoek op de woonboot. Een vreemde man. "Niet te doorgronden", had Frank gezegd. Bij de gedachte aan haar chef vroeg ze zich af hoe het met hem zou zijn. Misschien zou ze er goed aan doen hem eens voor een etentje uit te nodigen. Juist toen ze had besloten dit met Marit te overleggen, stapte Benders binnen. Ze keek hem aan met een ongelovige blik. 'Wat doe jij hier? Ik dacht dat je ziek was.'

'Zie ik er uit als iemand die ziek is?'

'Nee, maar je stort niet zomaar in. Het lijkt me toch verstandiger dat je een tijdje je rust neemt.'

'Begin jij ook al', bromde Benders. 'Er is niets met mij aan de hand. Ik voel me kiplekker. Waar was je mee bezig?'

'Frank doe niet zo eigenwijs, je....'

'Ik voel me goed, Paula!', onderbrak Benders hard.

Paula zuchtte.'Oké,' zei ze, 'wat jij wilt. Ik was bezig de rapporten in de zaak Kooiman bij te werken.'

'Nog nieuws?'

'Nee', antwoordde ze kortaf.

'Kom op, Paula', zei Benders sussend. 'Ik waardeer je bezorgdheid, maar geloof me, ik voel me goed. Dat ik onderuit ben gegaan, was te danken aan te weinig nachtrust en een lege maag, meer niet.'

Ze keek hem aan. Hij zag er inderdaad ontspannen uit. Alsof hij van een last was bevrijd.

'Marit vertelde me gisteren dat Kooiman zijn volledige collectie heeft verkocht. Voor maar liefst tachtigduizend euro.'

Benders floot tussen zijn tanden. 'Dat is nogal wat, voor die stomme beelden.'

Paula knikte. 'Veel geld, ja', beaamde ze. 'Opmerkelijk ook voor een man die altijd heeft beweerd geld van ondergeschikt belang te vinden.'

'Ja, maar je zult het maar nodig hebben', reageerde Benders nuchter.

'Nodig hebben?' Ze keek Benders vragend aan. 'Zou dat niet een motief kunnen zijn? Acute geldproblemen?'

Benders haalde zijn schouders op. 'Niet onmogelijk', gaf hij toe. 'In ieder geval de moeite waard om te onderzoeken. Maak maar een afspraak met hem. Ik wil dat heerschap nog wel eens spreken.'

Paula keek hem aan. Hij geloofde er niet echt in, had ze aan zijn toon gehoord, maar was te netjes om haar dat te vertellen. Ze belde Kooiman en maakte een afspraak voor over twee dagen.

'Heb jij nog nieuws?', vroeg ze daarna.

Benders knikte. 'Ik kom net bij Nikka vandaan', zei hij. 'Sune Boman is ervandoor. Hij is sinds gisteren spoorloos.'

'Shit!'

Benders vertelde over het gesprek dat Nikka met Dietrich had gehad en vroeg Paula's mening hierover.

'Als Boman niet de man is die wij zoeken, staan we weer bij nul', zei Paula.

'Dat is geen mening,' zei Benders, 'dat is een constatering.'

Paula dacht na. 'Ik weet het niet', antwoordde ze naar waarheid. 'Ik weet niet meer wat ik in deze gecompliceerde zaak moet denken.'

Benders knikte en ging achter zijn bureau zitten. 'Ik heb erover nagedacht', zei hij. 'Ik denk dat we onze hoop niet uitsluitend moeten vestigen op Boman. We moeten hem niet langer meer als hoofdverdachte zien, maar hooguit als een mogelijke verdachte.'

'Waarom denk je dat?'

'Dat is een gevoel. De moord op de familie Kooiman is een explosie van haat geweest. Het ging de dader niet om hun geld, maar om hun levens. Ze moesten dood.'

Paula voelde zich koud worden. De manier waarop Frank "ze moesten dood" zei, bezorgde haar kippenvel.

'Maar wat moet Boman dan voor rol in deze zaak hebben gespeeld?'

'Dat weet ik niet', antwoordde Benders. 'Wat we tot nog toe gehoord hebben over de Zweed, is dat hij een berekende en een koelbloedige moordenaar is en contacten onderhield met Colin Rigby. Meer niet.'

Paula wilde tegen Benders zeggen dat de rillingen over haar rug liepen bij de gedachte aan Boman, maar werd gehinderd door de telefoon. Ze zag hoe Benders de hoorn tegen zijn oor drukte en hoe onmiddellijk daarop zijn gezicht verstrakte. Hij vloekte enige malen en smeet daarna de hoorn terug op het toestel. Hij zag krijtwit.

'Dat was Nikka', hijgde Benders. 'Tijdens een klopjacht op Sune Boman zijn er even voorbij Venlo twee agenten verongelukt. Boman is nog steeds voortvluchtig.'

11

Benders werd wakker door een geluid, waarvan hij dacht dat het de wekker was. Na enkele vergeefse pogingen deze uit te drukken, knipte hij vloekend het bedlampje aan.

Hij keek gedurende een aantal seconden verward om zich heen en begreep daarna zijn vergissing. Met een nijdig gebaar pakte hij de telefoon. 'Benders!', zei hij geïrriteerd.

'Met mij, Frank.'

'Eline!' Hij ging onmiddellijk rechtop in bed zitten en wreef de slaap uit zijn ogen.

'Heb ik je wakker gemaakt?'

'Geeft niet, ik moest er toch uit. Er is toch niets ernstigs, hoop ik?'

'Niet echt, maar ik lees net in de krant dat er nabij Venlo twee agenten zijn omgekomen. Ze schrijven dat de agenten zijn verongelukt tijdens de klopjacht op een zware crimineel. Er wordt beweerd dat hij ook in verband wordt gebracht met de moordzaak in Oostdorp. Jouw naam wordt ook genoemd.'

Benders vloekte inwendig. 'Wat staat er over mij in dan?'

'Wacht even.'

Benders wachtte ongeduldig op het antwoord en wond zich ondertussen op over het feit dat die ezels zijn naam hadden gebruikt.

'Hier heb ik het', hoorde hij een ogenblik later. '*In het onderzoek naar de brute moord op het echtpaar Kooiman uit Oostdorp, dat wordt geleid door de Hoornse hoofdinspecteur F. Benders, wordt de voortvluchtige S.B. aangemerkt als een mogelijke verdachte.* Klopt dat, Frank?'

'Niet helemaal, maar we zoeken hem wel.'

'Er staat hier dat hij levensgevaarlijk is.'

'Dat is hij ook, maar maak je geen zorgen. Hij wordt gerust wel gepakt.'

'Ik maak me natuurlijk wel zorgen. Er staat een compositie-tekening van hem in de krant. Ik heb nog nooit zo'n griezel gezien.'

Benders vroeg zich af wat hij moest zeggen om haar zorg weg te nemen, maar besefte dat hij daar, in al die jaren dat hij met Eline getrouwd was geweest, nog nooit in was geslaagd. 'Ik zal voorzichtig zijn', beloofde hij.

Nadat de verbinding was verbroken staarde Benders secondenlang naar het plafond. Aan de stem van Eline had hij kunnen horen hoe bezorgd ze was. Nog niet zolang geleden zou hij zich daaraan hebben geërgerd. Nu was hij ontroerd. Haar keus alleen verder te willen betekende dus niet dat hij haar onverschillig liet. Ze gaf nog om hem. Met iets van opluchting legde hij de hoorn terug op het toestel.

"Ik heb nog nooit zo'n griezel gezien", had Eline gezegd. Hij vroeg zich af wat hij zich van de Zweedse crimineel moest voorstellen. Dietrich had gezegd dat hij Boman niet tot de slimsten rekende, maar de man was de politie al tot tweemaal toe te slim afgeweest. Er was dus duidelijk sprake van een grove onderschatting. Hij vroeg zich ook af hoeveel waarde hij nu nog moest hechten aan het oordeel van zijn Duitse collega. Klopte het profiel dat Dietrich van Boman had geschetst wel?

Benders stond op uit zijn bed en besloot om Nikka straks te vragen contact op te nemen met de Zweedse justitie. Er diende helderheid te worden verschaft, dacht hij verbeten. Boman was op dit moment de rode draad in zijn onderzoek.

*

'Ik heb mijn huiswerk al gedaan', zei Nikka. 'Nadat ik hoorde over het drama bij Venlo, heb ik me hetzelfde afgevraagd als jij en onmiddellijk contact gezocht met onze Zweedse collega's. Daar had ik een verhelderend gesprek met een zekere Karl Willander. Willander is hoofdinspecteur van politie in de Zweedse hoofdstad Stockholm. Hij vertelde me nauw betrokken te zijn geweest bij de arrestatie van Boman destijds.

Willander omschreef Sune Boman als een levensgevaarlijke misdadiger. Hij beaamde de mening van onze Duitse collega Dietrich, dat de Zweed er niet de man naar is om zo omslachtig te werk te gaan als bij de moorden in Oostdorp. Hij bevestigde inderdaad dat snelheid en doelmatigheid de handelsmerken van Boman zijn. Dat de man niet slim zou zijn, bestreed Willander wel. "Boman," beweerde hij, "is een buitengewoon intelligent heerschap." De Zweedse inspecteur voegde daaraan toe dat het onderschatten van zijn landgenoot hem vier jaar geleden zijn rechteroog had gekost.'

Benders onderdrukte een vloek. 'Dan hoeven we onze aandacht voorlopig niet meer op Boman te richten', zei hij.

Nikka schudde haar hoofd. 'Voor wat betreft de poldermoorden niet, nee.'

Benders keek de commissaris onderzoekend aan. Het ontging hem niet dat ze meer bedoelde dan wat ze had gezegd. 'Wat bedoel je, Nikka?', vroeg hij. 'Voor wat betreft dan wel?'

Ze zuchtte.'Ik heb vannacht ergens aan gedacht', zei ze weifelend. 'Misschien is het allemaal wel onzin. Misschien zie ik wel spoken, maar zeker is wel dat het me mijn nachtrust heeft gekost.'

'Wanneer het jou je nachtrust heeft gekost, moet het toch de moeite waard zijn om het mij te vertellen. Dus ik zou zeggen: voor de dag ermee.'

Nikka haalde diep adem.'Ik heb lang met inspecteur Willander gesproken. Hij vertelde me onder andere dat er de afgelopen twee jaar opvallend veel gestolen auto's, in het bijzonder Volvo's en Saabs, Zweden zijn ingevoerd. Hij is op dit moment bezig met het onderzoek en heeft me daarbij in vertrouwen verteld dat hij het sterke vermoeden heeft, dat Boman bij deze omvangrijke autodiefstallen betrokken is.'

'Waarom denkt Willander dat?', onderbrak Benders.

'Omdat er tijdens het onderzoek namen opdoken van mensen met wie Boman in het verleden veel heeft gewerkt.'

Benders knikte en maakte met een handgebaar duidelijk dat ze verder kon gaan.

'Zoals je weet, is Kootstra bezig geweest met de autodiefstallen die hier in de regio hebben plaatsgevonden. Ik heb de verslagen erop nagelezen en daaruit blijkt dat het om vier Volvo's en één Saab gaat. Wanneer we daarbij optellen dat Boman zich gedurende die periode in deze regio heeft opgehouden, zouden we ervan uit kunnen gaan, dat hij bij deze diefstallen betrokken is geweest. Of niet soms?

Benders staarde haar aan. 'Ik denk dat ik weet wat jou uit je slaap heeft gehouden', zei hij.

'Maak jij het verhaal dan maar af.'

'Rigby is door Alfred Kooiman in verband gebracht met Stefan Eriksson.'

'Oftewel Sune Boman', vulde Nikka aan.

Benders knikte. 'Als Rigby deel uitmaakt van een bende die zich onder leiding van Boman met autodiefstallen bezig houdt, heeft hij dus een goede reden om zich niet bij de politie te melden.'

'Zover was ik ook gekomen, maar dat is niet waar ik wakker van heb gelegen.'

'Waar dan wel van?'

Nikka keek Benders aan. 'Misschien is het een beetje over de top', zei ze. 'Misschien gaat mijn fantasie te veel met me aan de haal, maar de gedachte liet mij niet los dat Dennis wel eens op de hoogte kon zijn geweest van waar zijn vader zich mee bezighield.'

Benders viel stil. Hij dacht na over deze theorie, maar kwam niet zover dat hij het een aannemelijke optie vond. De gedachte dat een vader zijn zoon bewust dood zou rijden ging hem te ver. Veel te ver.

'Ik kan het me slecht voorstellen', zei hij. 'Maar we mogen het niet uitsluiten.'

'Maar je gelooft er niet in?'

'Ik weet het niet,' zei Benders, 'maar ik hoop natuurlijk van niet.'

*

Benders stond voor het raam in zijn kantoor. Het getik van Paula op haar toetsenbord leek gelijke tred te houden met de regen die tegen het raam kletste. Het irriteerde hem.

De avond ervoor had de droger het begeven, waardoor hij zich deze morgen gedwongen zag een nog half natte broek aan te trekken. Tot overmaat van ramp had hij drie van zijn favoriete overhemden weg moeten gooien, omdat hij zo stom was geweest die met de spijkerbroeken mee te wassen.

'Houd op met dat getik!', snauwde hij tegen Paula. 'Ik kan me zo niet concentreren.'

'Concentreren waarop?'

Benders hoorde haar sarcasme.

'Paula, alsjeblieft?'

Ze stopte en keek hem aan. 'Je staat daar al tien minuten zonder een woord te zeggen. Waar ben je in godsnaam allemaal mee bezig?'

'Mijn broek is nog nat', zei Benders met tegenzin. 'Ik sta hier voor de radiator om hem te laten drogen.'

Paula lachte ingehouden. 'Je hebt toch niet....?'

'Nee, dat heb ik niet! Die verdomde droger was stuk.'

Ze lachte nu met gierende uithalen. 'God, Frank', zei ze nagrinnikend. 'Je moest je zelf eens zien. Je staat erbij alsof je zojuist in je broek hebt gescheten.'

Benders voelde zich onbehagelijk. Hij kon het ongelukkige gevoel, dat hij diep van binnen voelde, maar niet verdrijven. 'Ik voel me klote, Paula', bekende hij. 'Ik ben bang dat ik het niet red in m'n eentje.'

Paula stond op en kwam naast hem staan. 'Onzin', zei ze. 'Je bent amper een week alleen. Je bent het niet gewend, dat is alles. Je moet je zelf de tijd gunnen om aan je nieuwe situatie te wennen. Je zult van mij niet horen dat dat gemakkelijk is, maar zelfmedelijden is wel het laatste waar je aan toe moet geven.'

Benders keek haar aan. Ze had gelijk, besefte hij. Hij stelde zich verdomme aan als een groot kind. 'Misschien is dat ook wel zo', gaf hij toe. 'Misschien moet ik er gewoon mee leren leven om alleen te zijn.'

'Weet je wat,' zei Paula, 'kom vrijdag bij ons eten. Daarna kunnen we misschien naar de bioscoop.'

Benders keek haar dankbaar aan. 'Dan trakteer ik', zei hij.

Paula keek op haar horloge. 'Daar had ik ook wel een beetje op gerekend', zei ze plagerig. 'Ga je mee?'

'Mee waarheen?'

Ze wees naar de agenda op zijn bureau.

Walter Kooiman. Tien uur. Verdomd, hij was het glad vergeten.

*

Kooiman keek zijn bezoekers verbaasd aan. 'Wat is hier de bedoeling van?', vroeg hij verontwaardigd. 'Ik heb jullie toch alles verteld.'

'Windt u zich niet zo op, meneer Kooiman', reageerde Benders laconiek. 'Ons onderzoek maakt het noodzakelijk nog even met u te praten.'

'Te praten waarover?'

Benders negeerde zijn vraag en vroeg Kooiman om Paula en hem binnen te laten.

De man voldeed zuchtend aan zijn verzoek en ging ze voor naar zijn atelier.

Bij binnenkomst viel het Benders op dat Kooiman schoon schip had gemaakt. Anders dan bij het voorgaande bezoek maakte de boot een opgeruimde indruk. In de hal stonden keurig opgestapelde dozen waarop met zwarte markeerstift de inhoud stond vermeld. Alsof ze klaar stonden voor verzending. In het atelier aangekomen miste Benders onmiddellijk de dominante aanwezigheid van de beelden.

'U hebt goede zaken gedaan, hoorde ik', zei hij om zich heen kijkend. Kooiman keek hem niet-begrijpend aan. 'Wat bedoelt u in godsnaam?', vroeg hij.

'De verkoop van uw beelden', verduidelijkte Benders. 'Tachtigduizend euro is geen kattenpis.'

Kooiman trok zijn neus op, alsof hij de geur van kattenpis werkelijk rook.

'Wat in godsnaam heeft de verkoop van mijn beelden met jullie onderzoek te maken?'

Benders hoorde zijn nijd. Hij keek Walter een poosje zwijgend aan in de hoop dat hij spontaan zou antwoorden op zijn eigen vraag. Maar Kooiman bleef hem met een verwijtende blik aankijken.

'Misschien niets', antwoordde Benders ten slotte. 'Maar we vonden het opmerkelijk en wanneer er zich tijdens ons onderzoek opmerkelijke zaken voordoen, zien wij ons genoodzaakt dat te onderzoeken.'

'Meneer Benders, in alle redelijkheid, u speelt toch niet met de gedachte dat ik iets te maken zou kunnen hebben met de moord op mijn vader en stiefmoeder?'

Benders maakte een afwerend gebaar. 'Zo mag u dat niet uitleggen', antwoordde hij kalm. 'Maar als het mogelijk is, horen wij van u graag een verklaring.'

Kooiman keek Benders laatdunkend aan.'Goed. Ik zal het u proberen uit te leggen.' Hij keek omhoog, alsof hij van boven gedicteerd moest worden. 'Ik ga binnenkort verhuizen', begon hij. 'Ik sluit daarmee een fase in mijn leven af waaraan ik niet langer herinnerd wil worden, ook niet door mijn beelden. Bovendien zou deze herinnering mijn verdere ontwikkeling als beeldend kunstenaar in de weg staan. Ik wil verder.' Hij glimlachte. 'Begrijpt u dat, meneer Benders? Ik wil verder met mijn leven en mijn werk. Van het geld dat ik voor de beelden heb ontvangen, kan ik mijn appartement in Antwerpen inrichten.'

Benders knikte en keek Walter onderzoekend aan. Kooiman keek tevreden, alsof alleen al het idee naar Antwerpen te verhuizen hem gelukkig maakte.

'Ik denk dat ik dat wel kan begrijpen', zei hij. 'Het is in ieder geval een redelijke verklaring en daarbij is Antwerpen een mooie stad.'

'En een romantische stad', vulde Paula aan. 'Gaat u er alleen naartoe?'

'Hoe bedoel je?', vroeg Walter

Benders zag dat hij was verrast door de vraag van Paula. Alsof hij in zijn rug was aangevallen.

'Gewoon,' zei Paula, 'gaat u alleen in Antwerpen wonen of met een vriend of een vriendin? Het kan bijvoorbeeld zijn dat u onlangs iemand heeft ontmoet met wie u dit avontuur tegemoet wilt gaan.'

'Niets van dat alles', antwoordde hij afgemeten. 'Ik ga alleen.'

Er viel een stilte. Benders maakte van de gelegenheid gebruik om naar het raam te lopen. Hij keek naar buiten. Een brug, die de binnenhaven van de buitenhaven scheidde, werd handmatig opengedraaid door een man die zichtbaar moeite had met dit helse karwei. Ergens hoorde hij een meeuw krij-

sen. Aan de overkant van het water zaten drie mannen te vissen. Het was inmiddels droog geworden en een aarzelend
zonnetje weerspiegelde in het water.

Geen verkeerde stek, mijmerde Benders. 'Deze boot komt
dus binnenkort te koop?', vroeg hij.

Walter knikte. 'Ja,' zei hij, 'in principe staat hij al te koop.'

'Als ik zo onbescheiden mag zijn, wat zou zo'n boot op moeten brengen?'

Kooiman keek hem verbaasd aan. 'Maakt deze vraag ook
deel uit van uw onderzoek?'

Benders schudde zijn hoofd. 'Nee, nee', haastte hij zich te
zeggen. 'Noem het maar persoonlijke belangstelling.'

'Dan kunt u zich wenden tot mijn makelaar', antwoordde
Kooiman gedecideerd.

Benders draaide zich van het raam. Hij verweet zichzelf zijn
impulsieve gedrag. Idioot, dacht hij schuldig. Hij voelde de
behoefte om weg te gaan. Naar buiten. Maar hij had nog één
dringende vraag voor Kooiman. 'Is het puur toeval dat u voor
Antwerpen hebt gekozen?', vroeg hij. 'Of voelde u de behoefte dichter bij Vincent te wonen?'

Als door een wesp gestoken draaide Kooiman zijn hoofd
naar Benders.

'Wat 'n onzin', beet hij hem toe. 'Waarom in godsnaam zou
ik de behoefte voelen dichter bij Vincent te gaan wonen?'

Benders haalde zijn schouders op. 'Daar weet ik geen antwoord op', zei hij kalm. 'Dat weet u alleen.'

'Meende je dat nou?', vroeg Paula. 'Heb je echt belangstelling voor die boot?'

'Het was een impuls', zei Benders. 'Ik had daar nooit aan toe
moeten geven.'

Ze reden terug richting bureau. De lucht was volledig opgeklaard, maar de wind tot minstens kracht zes toegenomen.

Paula gaf richting aan en draaide de provinciale weg op. 'Ik zou niet weten waarom niet ', zei ze. 'Het lijkt me echt iets voor jou, die boot.'

'Waarom echt iets voor mij?'

'Precies groot genoeg. Drie kamers, lekker vrij, geen buren.' Benders dacht onmiddellijk aan zijn huidige bovenburen. Ze waren weer tot laat in de nacht bezig geweest. Eergisteren had hij er wat van gezegd. Niet eens onaardige mensen. Ze hadden hem beloofd er voortaan aan te denken en hadden dat inderdaad één nacht volgehouden.

'Ik kan er natuurlijk altijd naar informeren.'

Ze reden zwijgend verder. Benders dacht terug aan de reactie van Kooiman op zijn laatste vraag. Hij was duidelijk gepikeerd geweest. Beledigd. Of speelde hij dat? Reageerde hij zo fel om zijn werkelijke gevoelens te maskeren? Het was hem al eerder duidelijk geworden dat hij een zwak had voor zijn jongere broer. Waarom zou hij dat willen verbergen? Wat was er mis om een zwak te hebben voor je broer?

'Heb jij Vincent Kooiman ooit ontmoet?,' vroeg hij aan Paula Paula schudde haar hoofd. 'Nee,' zei ze, 'Kootstra deed destijds de verhoren. Ik heb ze wel gelezen. Geen lieverdje, lijkt me. Maar waarom vraag je dat?'

'We hebben de belangstelling voor hem een beetje verloren, omdat hij een waterdicht alibi heeft voor het tijdstip waarop de moorden moeten zijn gepleegd, maar ik vraag me nu af of dat terecht is.'

'Dan moeten we hem maar eens op gaan zoeken', reageerde Paula nuchter.

'Morgen?'

'Morgen is het vrijdag, mijn vrije dag.'

'Shit!!'

'Heb je er zo'n haast mee dan?'

'Haast is een groot woord, maar ik wil dat er een keer schot in de zaak komt. Ik heb het gevoel dat de tijd zich tegen ons gaat keren. Dat de voorsprong van de dader of daders straks niet meer te overbruggen is.'

Paula toetste het nummer in van Marit.

'Dag, schat', hoorde Benders een ogenblik later. 'Had jij het laatst niet over een weekendje Antwerpen?'

Tot zijn stomme verbazing werd er binnen twee minuten geregeld, dat ze morgenvroeg gedrieën naar Antwerpen zouden vertrekken.

'Dan beschouw ik morgen als een werkdag,' zei Paula 'en neem ik maandag mijn vrije dag.'

Benders keek haar perplex aan. 'Wat doen jullie dan met Mike?'

'Geen probleem. Die gaat naar Marits zus. En oh ja, het etentje houd je natuurlijk te goed.'

12

Antwerpen was een stad die Benders zich herinnerde uit een tijd dat hij verliefd was. Uit een periode dat hij Eline zag als de vrouw met wie hij de wereld aan zou kunnen.

Ze hadden er hun eerste weekend samen doorgebracht en waren uitzinnig van geluk geweest. De hele stad hadden ze doorkruist. Onvermoeibaar. Hij droeg haar over de kasseien, opdat ze niet met haar hakken in de voegen van het plaveisel zou blijven steken. Voerde haar door smalle, donkere straatjes rond het Schipperskwartier, waarbij hij zich verbeeldde dat de hoeren met blikken vol afgunst naar hem keken. Dronken van geluk was hij in de Brabofontein aan de Grote Markt gesprongen, nadat ze "ja" had geantwoord op de vraag die hij zolang had uitgesteld: "Wil je met me trouwen?"

Plechtig had hij in diezelfde nacht beloofd voor haar de mooiste sterren uit het heelal te plukken. Een soort koorts was het geweest, een gloed van binnenuit dat alles speciaal maakte. Waarbij het allergewoonste werd uitvergroot tot het meest bijzondere.

Benders schopte een leeg colablikje voor zich uit en keek mistroostig om zich heen. Er was weinig meer over van het bruisende Schipperskwartier. Vroeger dansten hier de Antwerpenaren. Matrozen bezochten de hoeren en lieten zich beschilderen door tatoeëerders. Russische handelaren verkochten er hun tapijten voor dumpprijzen.

Ooit had hij ergens gelezen dat je nooit moest teruggaan naar plaatsen van vroeger. Dat daarmee de glans van de herinnering zou worden vernietigd.

Om te voorkomen, dat zijn gedachten verstrikt zouden raken in herinneringen die het eigenlijke doel van zijn komst naar deze stad zouden verdringen, besloot hij zich te vermannen en niet achterom te kijken.

Met grote stappen liep hij richting Grote Markt. Anders dan dertig jaar geleden was het een grauwe dag. Het plein lag er verlaten bij, alsof men massaal had besloten de grauwheid van de stad de rug toe te keren.

Benders keek op zijn horloge. Het was vijf voor elf. Hij had om elf uur met Paula afgesproken. Ze zouden om half twaalf Vincent Kooiman ontmoeten in "De Schippershoek" aan het Falconplein. De jongen had gezegd hun komst naar Antwerpen tijdverspilling te vinden. Hij had alles verteld wat er te vertellen was en was niet van plan in herhalingen te vervallen.

Maar Benders was vasthoudend geweest. Hij had Kooiman op zijn plicht gewezen om - hoe dan ook - zijn medewerking te verlenen aan het onderzoek. Uiteindelijk stemde Vincent daarin toe en maakten ze een afspraak in "De Schippershoek".

Het was Benders tijdens het telefoongesprek opgevallen dat de jongen vermoeid klonk. Hij sprak in korte afgemeten zinnen en het was te horen, dat hij zwaar en onregelmatig ademhaalde. Benders dacht aan een aanval van astma of iets dergelijks en had zich een ogenblik bezwaard gevoeld de man zo onder druk te zetten.

Hij keek nogmaals op zijn horloge en zag tegelijkertijd hoe Paula vanuit de noordkant de Grote Markt kwam oplopen. Paula en Marit logeerden in een ander hotel . Hij had zich voorgenomen om na het verhoor direct terug naar huis te gaan, maar ze hadden er op gestaan om nog samen met hen te lunchen. Als goedmakertje voor het beloofde etentje.

"De Schippershoek" was een café-grill die - aan de drukte te zien - een geliefde gelegenheid moest zijn voor de Antwerpenaren. Een mix van buurtbewoners en zakenlieden bevolkte de gezellige bar, waar sport en politiek moeiteloos van commentaar werden voorzien. Aan het plafond hingen tientallen tl-buizen die volgens de man, die naast hem aan de bar zat, als eerbetoon aan de hoeren van weleer daar waren opgehangen.

Benders was met de man in gesprek geraakt, nadat hij er door een opmerking van de barman achter was gekomen dat hij een oud-politieman was De man stelde zich voor als Luc Heiman en vertelde Benders dat hij meer dan veertig jaar als politieagent werkzaam was geweest in de stad Antwerpen.

Kleurrijk en met weidse gebaren verhaalde hij over zijn roerige tijd in het Schipperskwartier. Hoe hij in de beginjaren van zijn carrière met het schaamrood op zijn kaken de hoeren moest aanspreken op hun opdringerige gedrag, en hoe Albanese pooiers hem met francs probeerden te verleiden om de meisjes met rust te laten. Daarna vroeg hij Benders wat hem naar Antwerpen had gebracht. Of hij hier voor zijn werk was of dat zijn bezoek louter als een uitstapje moest worden gezien. In het laatste geval vertelde hij graag bereid te zijn om zijn Nederlandse collega de spannendste en mooiste plekken van zijn geliefde Antwerpen te tonen.

'Ik zou willen dat ik daar de tijd voor had', zei Benders lachend. 'Misschien een andere keer.'

'Werk dus?'

Benders knikte. 'Helaas wel. Maar in ieder geval bedankt voor het aanbod.'

Heiman gaf hem zijn kaartje en zei dat hij altijd een beroep op hem kon doen.

'Het scheelt als je de weg weet', zei hij met een knipoog.

Benders nam het kaartje aan en bestelde een Duvel voor zijn collega. Daarna excuseerde hij zich en wenkte Paula met hem mee te gaan. Vincent Kooiman was binnengekomen.

Nadat de kelner ze alledrie van drinken had voorzien, vroeg Benders aan Vincent hoe het hem verging sinds de dood van zijn vader en stiefmoeder.

De jongen haalde zijn schouders op. Hij staarde met gebogen hoofd naar de tafel. Zijn houding was afwerend.

Benders dacht na over de manier van aanpak. Hoe kon hij een brug slaan naar de onwillige Vincent Kooiman?

'Woon je al lang in Antwerpen?', probeerde hij gemoedelijk.

Vincent keek hem aan. 'Drie jaar', zei hij. 'Hoezo?'

'Zomaar. Laten we het maar belangstelling noemen. Antwerpen is een mooie stad en.....'

'Ter zake, alsjeblieft', onderbrak de jongen. 'Ik heb over een halfuur weer een afspraak en ben niet van plan die mis te lopen door onbenulligheden.'.

Benders verbeet zijn ergernis.'Zoals je wilt. Dan wil ik als eerste van je weten of jij je vader en je stiefmoeder hebt omgebracht.'

De jongen grijnsde. Een spottende grijns. 'Je vergeet de hond', zei hij, 'Je vergeet Boris.'

'Een antwoord graag.

'Nee, natuurlijk niet, idioot. Ik was hier. Ik was in Antwerpen, dat was jullie toch al bekend.'

'Heb je dan een idee wie het wel gedaan zou kunnen hebben?'

'Geen enkel.'

'Waar in Antwerpen was je?'

'Lange Nieuwstraat. Bij 'n vriendin.'

'Vriendin of geliefde?'

Weer was er die grijns. 'Ex-geliefde.'

Benders raadpleegde zijn notitieboekje, waarin hij aantekeningen uit het verhoor van Kootstra had opgeschreven. 'Birgit Vanderleyde?'

'Hoe raad je het zo.'

'Je sliep bij haar?'

'Zoiets, ja.'

Benders nam een slok van zijn spa en knikte naar Paula. De onverschilligheid van Vincent Kooiman begon hem te irriteren. Hij wilde voorkomen dat zijn ergernis hierover voelbaar zou worden en gaf daarom het verhoor over aan Paula.

'We hebben Walter gesproken', begon Paula, 'Hij vertelde ons dat hij ook in Antwerpen kwam wonen.'

Vincent knikte.

Benders zag dat zijn houding veranderde. De ogen stonden alerter, alsof Paula hem zojuist wakker had geschud.

'Dat klopt, ja', zei hij. 'Hij is hier op zoek naar 'n appartement.'

'Je broer vertelde ons dat hij voor Antwerpen koos om een fase in zijn leven af te sluiten, waaraan hij niet herinnerd wilde worden. Begrijp jij wat hij daarmee bedoelt?'

'Dat zou je aan Walter zelf moeten vragen, lijkt me.'

Er viel een stilte. Alsof ze het gedrieën hadden afgesproken, namen ze een slokje uit hun glas.

Benders zette als eerste zijn glas weer neer en keek Kooiman aan. Anders dan tijdens de vorige ontmoeting droeg hij zijn haar nu een stuk korter. Het gezicht was flets en Benders verbeeldde zich dat de jongen sinds hun laatste ontmoeting was vermagerd.

'En jij, Vincent?', ging Paula verder. 'Waarom koos jij voor Antwerpen?'

'Is dat interessant voor jullie?'

'Ja', antwoordde Paula. 'Anders zouden we het niet vragen.'

'Ik ben hier min of meer bij toeval beland en blijven hangen.'

'Hoelang is dat geleden?'

'Drie jaar.'

'Je was zeventien toen je de deur uit ging. Waar verbleef je voor je tijd in Antwerpen?

'Ik heb een jaar in Amsterdam gewoond en daarvoor een halfjaar in Stockholm.'

'Heb je in die periode nog contact met je ouders gehad?'

'Zij was mijn moeder niet.'

'Met je vader en je stiefmoeder?'

'Nauwelijks.'

'Nauwelijks of helemaal niet?'

'Ja, Jezus, wat moet dit.? Ik kotste van die ouwe en nog meer van die stoephoer, ik….'

'Helemaal niet, dus.

'Nee, nooit behoefte aan gehad ook.'

Paula pakte haar glas en knikte naar Benders.

'Wat was je vader voor een man?', nam Benders over.

Vincent keek op zijn horloge. Hij schoof daarbij de mouw van zijn jack omhoog. Het viel Benders op dat hij dunne polsen had.

'Het was een egoïst, daarmee heb ik alles gezegd.'

'Is je vader vermoord, omdat het een egoïst was?'

'Zou best kunnen. Duurt dit nog lang? Ik heb over tien minuten een afspraak.'

'Hoe vind je het dat Walter hier komt wonen?'

'Prima, maar als hij anders had besloten had ik het ook goed gevonden. Dat was het?'

Vincent maakte aanstalten om op te staan, maar Benders gebood hem nog een ogenblik te blijven zitten. 'De naam Sune Boman', vroeg hij. 'Zegt jou die iets?'

Kooiman schudde zijn hoofd. 'Nee', zei hij beslist. 'Die naam zegt me niets.'

'En Colin Rigby?'

'Rigby?'

Benders knikte hoopvol.

Kooiman schudde zijn hoofd. 'Nooit van gehoord', antwoordde hij. Daarna stond hij op uit zijn stoel.

Het viel Benders op dat dit hem moeite kostte. Alsof hij daarvoor alle kracht moest verzamelen.

De jongen verliet het café zonder te groeten .

Benders keek hem na. Hij herinnerde zich de uitspraak van Vincent, waarin hij zei dat hun komst naar Antwerpen tijdverspilling was. Maar Benders deelde zijn mening niet.

Vincent, dacht hij, verbergt iets. Maar wat? En waarom?

*

Benders verliet zijn hotel met tegenstrijdige gevoelens. Eigenlijk zou hij moeten blijven. Zijn werk was nog niet af, maar hij had zijn zoon beloofd om samen naar het circuit van Zandvoort te gaan. Er zouden daar Formule 3-races worden gehouden en Joris had moeite moeten doen om twee kaarten te bemachtigen.

Door de stad zeulend met zijn koffer had hij zich voortdurend afgevraagd of het niet beter was geweest om Vincent Kooiman harder aan te pakken. De afwerende houding van de man had hem geërgerd, maar tegelijkertijd ook bevreemd. Waarom zo vijandig als je over een waterdicht alibi beschikte?

In de tijd die Benders nog over had voor de lunch met Paula en Marit was hij nog langs de Lange Nieuwstraat geweest, maar Birgit Vanderleyde had hij niet thuis aangetroffen. Hij had een buurvrouw gevraagd of zij een idee had waar Birgit zou kunnen zijn. Maar de vrouw verzekerde hem dat niet te weten. Benders had daarop zijn legimitatie laten zien en gevraagd of zij iets kon vertellen over haar, maar zij zei niets over Birgit te weten. "Ik heb nauwelijks contact met haar", verklaarde ze. "Soms pas ik op haar hond, maar verder bemoeien wij ons weinig met elkaar."

Hij had Paula tijdens de lunch gevraagd later op de dag nog een poging te wagen om haar te spreken te krijgen, maar Paula gaf hem te verstaan dat tegenover Marit niet te kunnen maken. Benders had daar met moeite zijn begrip voor getoond.

Halverwege zijn zoektocht naar de parkeergarage kwam hij tot het besef dat hij zichzelf iets wijsmaakte. Dat het tegen zijn natuur in zou zijn om Antwerpen nu te verlaten. Hij kon niet anders dan terug gaan naar het hotel en Joris bellen dat hij was verhinderd. Blijkbaar, dacht hij opstandig, is mijn leven voorbestemd om een hardwerkende politieman te zijn. Om mijn leven uitsluitend in dienst van het politiebestaan te stellen.

*

Birgit Vanderleyde opende de deur van haar appartement en keek Benders vragend aan. Ze droeg een spijkerbroek en een zwart T-shirt, waarop in witte letters de naam "Flame" zich over haar borsten spande. De slordige krullen op haar voorhoofd deden Benders vermoeden dat ze zojuist uit bed was gestapt.

Hij zag haar argwaan en knikte haar zo vriendelijk mogelijk toe. Daarna noemde hij zijn naam, toonde zijn legitimatie en vertelde haar het doel van zijn komst.

'Komt u dan maar verder', zei ze zonder aarzeling. Ze bood hem een plaats aan op een rotan kuipstoel waar op dat moment een witte hond leek te slapen. Alsof het beest de situatie aanvoelde, sprong het onmiddellijk van de stoel en nestelde zich op de brede vensterbank boven de verwarming. Benders keek naar de achtergebleven witte haren op de stoel en draaide het rode kussen om.

'Ik heb u weinig anders te melden dan wat ik uw collega Kootstra al heb verteld', begon Birgit, zodra hij had plaatsgenomen. 'Ik begrijp dan ook niet.....'

Benders onderbrak haar door een afwerend gebaar met zijn hand. 'Ik kan me voorstellen dat mijn bezoek je bevreemdt,' zei hij verontschuldigend, 'maar er zijn redenen om jouw verklaring nogmaals op te nemen. Beschouw het maar als een formaliteit, meer is het niet.'

Ze knikte.

Het viel Benders op dat haar ogen rust uitstraalden. Niets wees erop dat zijn bezoek haar uit haar evenwicht bracht. Het was meer alsof het ontvangen van onverwachts bezoek tot haar dagelijkse routine behoorde.

'Goed', begon Birgit. 'Zoals eerder verklaard, heeft Vincent op 16 februari vanaf half zes tot de volgende ochtend, rond negen uur, hier bij mij doorgebracht.'

'Je hebt een uitstekend geheugen', reageerde Benders.

'Het is mij bij herhaling door uw collega gevraagd. De datum en tijden staan in mijn geheugen gegrift.'

Benders knikte. Hij begreep dat Kootstra zijn werk grondig had gedaan en werd overvallen door gevoelens van twijfel. Wat deed hij hier in godsnaam?

'Je zei "hier bij mij doorgebracht", bedoel je daarmee dat hij met je sliep?'

'Ja.'

Benders hoorde in haar antwoord niets wat wees op een herinnering aan die nacht en vroeg zich af of dat het gevolg was van het gemak waarmee jonge mensen met elkaar naar bed gaan.

'Heb je de ouders van Vincent ooit persoonlijk ontmoet?'

Ze schudde haar hoofd. 'Nee', zei ze. 'Ik ken ze niet.'

'Sprak Vincent ooit met jou over zijn ouders?'

'Nee, nooit.'

'Hoelang ken je Vincent?'

'Ik ontmoette hem een halfjaar geleden.'

'Hier in Antwerpen?'

'Ja.'

'Heeft Vincent je verteld dat zijn broer Walter ook in Antwerpen komt wonen?'

'Zijn broer? Ik wist niet eens dat Vincent een broer had.'

'Je ontmoette Vincent een halfjaar geleden, was dat ook het begin van jullie liefdesrelatie?'

'Heeft Vincent dat verteld?'

'Ik vraag het aan jou.'

'Zo ongeveer wel, ik weet het niet meer precies.'

'Woon je hier alleen?'

'Ja.'

'Studeer je nog?'

'Ja. Ik studeer aan de Universiteit van Antwerpen.'

'Wat studeer je?'

'Kunstgeschiedenis.'

'Waar ontmoette je Vincent?'

'In een discotheek.'

'Heeft Vincent met jou gesproken over de moord op zijn ouders?'

Ze schudde haar hoofd en keek op haar horloge. 'Ik heb Vincent al een maand niet meer gezien', antwoordde ze beslist.' Maar als u het geen bezwaar vindt wil ik het hierbij laten, ik moet over vijf minuten weg.'

Benders knikte en stond op.Hij gaf haar een hand en keek haar aan. Wat hij zag was een jonge, zelfbewuste vrouw, die bovendien mooi en aantrekkelijk was. Vincent Kooiman, dacht hij, heeft in ieder geval een uitstekende smaak.

*

'Je ziet er fantastisch uit!'

Marit straalde. Ze herstrikte de knalgele veters in haar zwartleren laarsjes en gaf Paula een kus.

Vanmiddag waren ze de stad in geweest. Ze hadden vrijwel alle tweedehands modezaakjes afgestruind om binnen een redelijk budget gelegenheidskleding voor de avond op de kop te tikken.

Marit droeg een hardroze heupbroek waarboven een fijnmazig knalgeel T-shirt. Paula had zich laten verleiden tot de aanschaf van een knalrood balletkostuum, dat volgens de verkoopster ooit zou zijn ontworpen door Walter van Beirendonck voor het Ballet van Vlaanderen.

Als uitzinnige tieners stonden ze in discotheek "Red & Blue". De grootste homodiscotheek van het Europese continent, die iedere tweede zondag van de maand ook toegankelijk was voor lesbiennes ."*Ben je exuberant gekleed? Dan ben je van harte welkom*", stond er te lezen in de folder.

Bij binnenkomst hadden ze onmiddellijk gezien dat hun uitdossing eenvoudig genoemd kon worden. Er dansten vrouwen in prachtige creaties van doorschijnend latex en mannen in minuscuul kleine broekjes, van wie het bovenlichaam slechts gesierd werd door een stropdas.

Marit werd de vloer opgetrokken door een prachtige zwarte vrouw die was gekleed in een goudgeel gewaad, dat Paula deed denken aan een creatie van Fong-Leng. Ze keek met verwondering naar het gemak waarmee de vrouw zich voortbewoog, ongehinderd door de omvangrijke creatie die ze droeg. Zo leek het tenminste.

Naast Paula stond een jongeman aan de bar in een zwartleren pak met de meest kleurrijke en kunstzinnige applicaties. Hij sprak haar aan in het Frans, maar toen Paula hem in het Engels te kennen gaf uit Holland te komen, schakelde hij met hetzelfde gemak over in het Nederlands. Hij kwam uit Brussel en verklaarde zijn tweetaligheid met de mededeling dat hij een zoon was van een Waalse en een Vlaming. 'Volgens traditie zou daar de duivel tussen slapen,' zei hij lachend, 'maar blijkbaar is de liefde tussen mijn ouders van zo'n grootsheid geweest, dat zelfs de duivel het op heeft moeten geven.'

De jongen stelde zich voor als Patrick en had gevoelige ogen. Hij vroeg Paula waar in Holland ze woonde.

Uit ervaring wist ze dat de plaats Hoorn hem niets zou zeggen, dus voegde ze aan haar antwoord onmiddellijk toe dat haar woonplaats circa veertig kilometer ten noorden van Amsterdam lag.

Maar Hoorn bleek allerminst onbekend bij Patrick. Hij vertelde haar een vriend te hebben gehad die oorspronkelijk uit die buurt kwam en zei dierbare herinneringen aan de stad te hebben. Na wat wederzijdse ervaringen te hebben uitgewisseld over Hoorn nam hij haar mee naar de dansvloer.

'Ben je hier alleen?' Patrick schreeuwde zijn vraag tussen de opzwepende dreunen door.

Paula schudde haar hoofd en knikte naar Marit die juist de dansvloer verliet. 'Met mijn vriendin', riep ze hijgend. Ze vroeg zich af hoe lang ze dit vol ging houden. Door de dynamiek waarmee de jongen danste, werd ze er pijnlijk aan herinnerd dat haar jeugd voorbij was.

'Je vriendin of je geliefde?'

'Het laatste.'

Patrick glimlachte.

Zijn onschuld raakte haar. Amper achttien, schatte ze hem.

'En jij?'

'Vrienden, maar toch alleen.'

'Is hij er niet?'

Patrick schudde zijn hoofd. Ze schrok van de plotselinge ernst op zijn gezicht. Blijkbaar had ze een gevoelige snaar geraakt.

'Even pauzeren?'

Paula knikte opgelucht. Ze liepen naar de hoek van de bar, waar Marit met de donkere vrouw stond te praten. De vrouw, die zichzelf had voorgesteld als Tonica, knikte naar Paula en omhelsde Patrick hartstochtelijk. De twee raakten onmiddellijk met elkaar in gesprek.

Dat zij oude bekenden van elkaar waren, maakte Paula op uit het arsenaal aan namen die blijkbaar tot hun gemeenschappelijke vriendenkring behoorden.

'Hoe is het met Vincent?', hoorde ze Tonica vragen.

Patrick haalde zijn schouders op. Er verscheen een droeve grijns op zijn gezicht. 'Ik vrees het ergste voor hem', antwoordde hij.

Tonica gaf de jongen een paar bemoedigende klopjes op zijn schouder. 'Vincent is zijn grote liefde', verklaarde ze tegenover Paula en Marit. 'Hij is ernstig ziek.'

Paula knikte. Ze voelde de neiging om Patrick naar zich toe te halen, maar Tonica had hem al bij zijn arm gepakt om hem mee naar de dansvloer te voeren.

Ze staarde het tweetal peinzend na, tot ze in de kleurrijke menigte waren verdwenen. Daarna schudde ze haar hoofd en trok Marit mee de dansvloer op. In zoveel toeval geloofde ze niet.

13

Maandagmorgen stond Benders met een katterig gevoel op. Hij voelde zich vermoeid, maar had niet de rust om in zijn bed te blijven liggen. Zijn gemoedstoestand viel te vergelijken met een voetballer die de vorige dag een belangrijke wedstrijd had verloren, maar achteraf van mening was dat dat niet nodig was geweest.

Met een vermoeid gebaar opende hij de balkondeuren. Donkere wolken dreven met grote snelheid over het Markermeer en in de verte zag hij hoe een bliksemflits leek te verdwijnen in het water.

Ergens hoorde hij een hond blaffen, alsof het beest hem wilde waarschuwen voor het snel naderende onweer. Even later leek de hel los te barsten. Benders sloot de deuren en overwoog een moment weer in zijn bed te kruipen, maar vermande zich. Tijdens het klaarmaken van zijn ontbijt dacht hij aan Vincent Kooiman. Aan de magere jongen Zijn vader noemde hij een egoïst en zijn stiefmoeder schilderde hij af als een hoer. Vincent haatte zijn vader en stiefmoeder, zoveel was zeker, maar Birgit ontlastte hem van alle schuld. Waarom? Was hij haar grote liefde? Zo groot dat ze tot alles in staat zou zijn om haar geliefde te beschermen? Of sprak ze gewoon de waarheid? Was het alleen maar zijn argwaan? Zijn professionele argwaan die het verdomde om haar verhaal voor waar aan te nemen?

Met een nijdig gebaar sneed hij zijn boterham in vieren. Hij besloot straks weer een bezoek te brengen aan Alfred Kooiman. Tenslotte had hij Vincent in de twintig jaar, dat hij bij zijn vermoorde broer had gewerkt, zien opgroeien. Deze man, dacht Benders, moet mij kunnen vertellen of Vincent tot zoveel gruwelijks in staat was.

*

Zodra Kooiman de deur had geopend, zag Benders dat de man een meer ontspannen indruk maakte dan tijdens zijn vorige bezoek. Hij vermoedde dat dat te maken had met het herstel van zijn rugoperatie. Het was alsof er een enorme last van de man was afgevallen.

'Hopelijk stoor ik niet?', vroeg Benders uit beleefdheid.

Kooiman schudde zijn hoofd. 'Niet in het allerminst', zei hij vriendelijk. 'Komt u verder.

U was wel de laatste die ik verwachtte, maar ik neem aan dat u hier niet voor de gezelligheid komt.

Verbaasd over de metamorfose beaamde Benders dat en vertelde hem de reden van zijn bezoek. Kooiman luisterde aandachtig. Na afloop keek hij een poosje zwijgend voor zich uit, waarna hij langzaam zijn hoofd schudde. 'Vergeet dat maar', zei hij beslist. 'U hebt het juist dat het niet boterde tussen Vincent en zijn vader en stiefmoeder. Maar Vincent als moordenaar moet u vergeten.'

'Was het feit dat het niet tussen hen boterde ook de reden dat Vincent op zeventienjarige leeftijd besloot zijn ouderlijk huis te verlaten?'

'Onder andere. Het was een opeenstapeling van conflicten.'

'Wat voor conflicten?'

'Verscheidene. Vincent was een goeie, maar eigenzinnige jongen. De band met zijn stiefmoeder was zondermeer slecht te noemen. Het probleem was dat ze beiden een sterke eigen wil hadden. In dat opzicht leken die twee wel op elkaar. Toen Vincent in de pubertijd belandde begon dat te escaleren. Er ontstonden bijna dagelijks ruzies. Daar kwam nog bij dat Vincent niet de beoogde opvolger bleek te worden waar mijn broer, na het afhaken van Walter, op had gehoopt. De verwoede pogingen om van zijn jongste zoon een zakelijk wonder te maken, bleek alleen maar averechts te werken. Vincent keerde zich tegen hem en ging tot grote ergernis van mijn broer steeds meer zijn eigen gang. Hij stopte halverwege het eerste jaar met zijn studie economie om zich vervolgens in te laten schrijven voor de kunstacademie, maar mijn broer weigerde daar, net als dat hij dat eerder bij Walter had gedaan, een cent aan bij te dragen.'

'Dus verliet Vincent het huis.'

'Toen nog niet. Dat gebeurde pas een halfjaar later, nadat Vincent zijn vader had verteld dat de herenliefde zijn voorkeur had.'

'Vincent is homofiel?', vroeg Benders verbaasd.

Kooiman knikte. 'Ja', zei hij beslist. 'Voor mijn broer was dat de doodsteek. Vincent verliet het huis niet zelf, maar werd eruit geschopt met het verzoek om nooit meer een voet over de drempel te zetten.'

Benders krabde zich op zijn achterhoofd en staarde Kooiman peinzend aan. Hij moest aan Birgit Vanderleyde denken en begreep er niets meer van.

*

Nikka Landman liep Benders tegemoet in de hal en vroeg hem mee te komen naar haar kantoor. De wijze waarop ze dat deed, voorspelde weinig goeds en Benders vroeg zich af wat ze straks van plan was om naar zijn hoofd te slingeren.

'Ga zitten', gebood ze streng.

Benders keek haar aan. 'Ik blijf liever staan', zei hij.

'Waar is Paula?', negeerde ze zijn tegenspraak.

'Paula zit nog in Antwerpen.'

'En waarom weet ik dat niet?'

'Vertel me liever waarom je zo opgefokt doet.'

Nikka keek hem aarzelend aan. 'De schuur achter het huis bij Buskers is zaterdagavond uitgebrand', zei ze. 'Ze hebben de oude vrouw ternauwernood kunnen redden.'

'En dat is mijn schuld?'

'Ik had jou gevraagd die zaak te laten onderzoeken.'

'Dat is ook gebeurd. Paula is er geweest. Volgens zeggen verbrandde de vrouw het loof van de tuin.'

'Loof in februari?'

'Haar man had dat verklaard.'

Nikka zuchtte. 'De buren hebben een aanklacht ingediend', zei ze. 'Ik neem dit zeer hoog op.'

Benders ging zitten. Zoals gewoonlijk in dit soort situaties voelde hij een hevige irritatie opkomen. Hij had geen trek in dit gezeur. 'Wat voor aanklacht?', vroeg hij geprikkeld.

'Wij zouden hun aangifte van brandstichting niet serieus hebben genomen. De buurman heeft de vrouw met gevaar voor eigen leven uit de brandende schuur moeten redden.'

'Zalm?', vroeg hij spottend.

Nikka knikte. 'Zo heet de man, ja.'

Benders keek de commissaris aan. Hij kon zien dat ze zich opwond over zijn laconieke houding. Waarschijnlijk had ze gehoopt, dat hij onmiddellijk het boetekleed zou aantrekken. 'Ik betreur dit natuurlijk,' zei hij kalm, 'maar ik vind niet dat ons iets te verwijten valt.'

'Daar denkt de familie Zalm anders over.'

'Laat die Zalmen maar aan mij over. Ik weet van hen ook nog wel iets.'

Benders zag een vage glimlach bij de commissaris doorbreken. 'Ik vraag me af wat dat is met jou', zei ze hoofdschuddend.

'Wat bedoel je?'

'Dat het me niet lukt om kwaad op jou te blijven', verklaarde ze lachend.

Benders grijnsde. Hij wilde reageren, maar werd belemmerd door de telefoon. Nadat ze de hoorn had opgenomen, zag hij hoe haar voorhoofd zich plooide. Ze knikte ernstig en maakte onderwijl een paar notities. Zo is ze op haar mooist, dacht hij. Hij herinnerde zich zijn eerste kennismaking met haar en besefte plotseling hoe weinig hij nog van haar wist. De vijf weken met Nikka als commissaris, hadden zich beperkt tot de zaak. Zeker was wel dat hij haar vanaf het eerste moment sympathiek vond. Maar wie was Nikka? Had ze een relatie? Een gezin? Wat hield haar, buiten haar werk, nog meer bezig?

Hij schrok op door de klap, waarmee de hoorn terug op het toestel werd gelegd.

'Dat was Stevens', zei Nikka.

Benders keek haar vragend aan.

'Stevens is brandweercommandant', vervolgde ze. 'Hij was bezig met het onderzoek naar de oorzaak van de brand en deed een ontdekking die hem aan het denken zette.'

'Brandstichting?'

'Nee', zei Nikka. 'De commandant vond de verkoolde resten van een fietstas. Hij moest daarbij denken aan de zaak van de vermiste krantenjongen.'

'De fietstas van Dennis Rigby?'

'Dat moeten we uitzoeken. Ik zou willen dat je erheen gaat.'

Benders schudde zijn hoofd. 'Dit is werk voor de technische afdeling', wierp hij tegen. 'Ik stuur Teulings.'

Nikka stond op. 'Ook goed', zei ze. 'Dan wil ik jou nu uitnodigen met mij te gaan lunchen.'

'Lunchen met mij?', vroeg hij verbaasd.

Ze knikte. 'Ja', zei ze. 'Ik wil alles horen over je bezoek aan Antwerpen.'

*

'Dus jij verdenkt Birgit Vanderleyde ervan dat ze een valse verklaring heeft afgelegd?'

Benders knikte. Hij keek met spijt in zijn lege kom en schraapte het laatste restje uiensoep van de bodem. 'Ik heb mijn twijfels, ja. Alfred Kooiman was zeer stellig in zijn verklaring dat zijn neef homofiel is.'

'Is dat de enige reden voor je argwaan?'

'Nee', zei hij. 'Er is meer.'

Nikka keek hem vragend aan en schonk daarna de glazen met de door haar gekozen landwijn in. 'Kun je uitleggen wat je daarmee bedoelt?'

Benders haalde zijn schouders op. 'Ik vertrouw haar niet.'

'Waarom niet?'

'Noem het maar intuïtie. Ze toonde geen enkele emotie toen ik de moord op Vincents ouders ter sprake bracht. Het lijkt me gewoon een ijskoude tante.'

'Of een vrouw die uitstekend in staat is haar gevoelens buiten spel te zetten.'

Benders hief zijn glas. 'Op de waarheid.'

Nikka streek met haar hand een denkbeeldige vouw van haar servet glad en keek hem peinzend aan. 'Wat ga je doen om daarachter te komen?', vroeg ze.

'Ik wil eerst proberen meer over deze vrouw te weten te komen', antwoordde Benders. 'Of de informatie die ze over zich zelf heeft gegeven, wel klopt.

'Je gaat dus terug naar Antwerpen?'

Benders schudde zijn hoofd. 'Nee', zei hij. 'Dat vind ik zonde van mijn tijd.' Hij vertelde Nikka over de oud-politieman Luc Heiman die hij in Antwerpen had ontmoet.

'Ik wil hem vragen of hij haar gangen nagaat. Heiman heeft veertig jaar dienst gedaan in Antwerpen, hij kent daar zijn pappenheimers.'

'Maar hij heeft geen bevoegdheden meer.'

'Dat klopt', beaamde Benders. 'Ik wilde Paula vragen haar uitstapje een aantal dagen op staatskosten te verlengen. Heiman kan haar rapporteren.'

Nikka knikte. 'Dat lijkt me een uitstekend idee.'

Benders keek haar aan. Hij kon niet vaststellen of de commissaris meende wat ze zei. Hij dacht iets van ironie in haar stem te hebben gehoord. Maar het kon heel goed zijn, dat hij zich dat had verbeeld. Misschien was het zijn gevoel. Misschien moest hij nog steeds wennen aan een commissaris die het met hem eens was.

Hij pakte het laatste stukje stokbrood en vroeg Nikka wat hij er voor haar op moest smeren, maar ze schudde haar hoofd.

In de korte stilte die volgde, vroeg Benders zich af of dit het moment was om haar wat persoonlijke vragen te stellen. Om haar beter te leren kennen, maar Nikka was hem voor.

'Voor ik het vergeet, Frank,' zei ze, 'je dochter heeft nog gebeld.'

'Femke?'

'Heb je nog meer dochters dan?', vroeg ze glimlachend.

'Nee, maar het verrast me dat ze jou heeft gebeld.'

'Je was weer eens niet bereikbaar, zei ze.'

Benders onderdrukte een vloek. Het gebeurde hem inderdaad regelmatig dat hij zijn mobiel vergat aan te zetten.

'Wat heeft ze gezegd?'

'Ze vroeg me aan jou door te geven dat ze zaterdagavond rond half twaalf op Schiphol landt. Of je dat alvast in je agenda wilt schrijven. Ze zou je er zelf ook nog over bellen.'

Benders knikte. Hij vroeg zich af wat haar komst te betekenen had. Hij was natuurlijk blij zijn dochter binnenkort weer te zien, maar tegelijkertijd maakte hij zich zorgen. In het laatste gesprek had ze hem gezegd misschien in het voorjaar te komen, maar het was nog lang geen voorjaar.

'Maak je je zorgen om haar?'

Benders schrok op uit zijn overpeinzing. Hij erkende zijn bezorgdheid en maakte Nikka deelgenoot van zijn angst. Hij vond in haar een aandachtig luisteraar en voordat hij er erg in had vertelde hij zonder enige terughoudendheid hoe hij de breuk in zijn relatie verwerkte.

'Mis je haar?'

'Ik was gehecht aan Eline.'

'Begrijp je haar beslissing wel?'

Benders knikte. 'Hoewel ik zelf die keus niet had kunnen maken, begrijp ik hem wel. Er was weinig meer tussen ons.'

'Voel je je daar schuldig over?'

'Het had anders gekund, dat verwijt ik mezelf.'

Nikka staarde een poosje zwijgend voor zich uit. Hij kreeg de indruk dat ze hem iets wilde zeggen, maar niet goed wist hoe.

'Achteraf kan het altijd anders', zei ze ten slotte. 'Ik geloof niet dat het zinvol is om daar teveel over na te denken.'

Benders vroeg zich af wat ze bedoelde. Het was alsof ze in zichzelf sprak. Of wat ze had gezegd niet voor hem bestemd was.

'Mijn man verblijft sinds negen jaar in een verpleegtehuis', vervolgde ze onverwacht. 'Hij zal daar ook sterven. Vroeg of laat zal ook ik met de vraag worden geconfronteerd of het niet anders had gekund.'

Benders keek haar geschrokken aan. 'Sorry,' zei hij, 'ik wist niet…..'

'Laat maar. Ooit zou je er toch achter zijn gekomen . Het is goed dat je het nu van mijzelf hebt gehoord.'

Er volgde een korte stilte, waarin Benders de fles pakte en Nikka vragend aankeek.

Ze schudde zwijgend haar hoofd.

'Rob raakte negen jaar geleden betrokken bij een verkeersongeval. Hij was arts en onderweg naar een spoedeisend geval. Hij heeft zeven maanden in coma gelegen. De artsen beschouwden het als een wonder dat hij daar nog uit raakte.'

'Bezoek je hem regelmatig?'

'Iedere zondag. Volgens het verplegend personeel kijkt hij daarnaar uit, maar ik merk daar weinig van.'

'Hebben jullie kinderen?'

'We hebben één dochter. Maar genoeg hierover', vervolgde

ze glimlachend. Ze wenkte de ober en vroeg hem af te mogen rekenen. Nadat ze Benders' bijdrage had geweigerd stond ze lenig op.

Benders liep achter haar aan. Ze had mooie benen. De benen van een jonge vrouw. Hij kon haar nauwelijks bijhouden.

'Kun je bij de markt nog even stoppen?'

Nikka had hem gevraagd te rijden. Ze wilde telefonisch een aantal agendapunten afhandelen en Benders was blij verrast haar BMW uit de 500-serie te mogen besturen.

'Ik wil nog wat verse vis kopen', verklaarde ze. 'Als je op het plein bij de Grote Kerk even stopt, ben ik met drie minuten terug.'

Benders knikte en stopte op de overvolle parkeerplaats achter een oliebollenkraam. Nadat Nikka was uitgestapt, liet hij het raam aan zijn kant zakken en keek uit over het Kerkplein. Het was een heldere dag en ongewoon druk. Blijkbaar hadden de mensen massaal besloten om van dit voorschot op de lente te gaan genieten. Een enkeling had het zelfs gewaagd om slechts gekleed in een T-shirt de straat op te gaan.

Benders staarde naar de overkant waar hij zag hoe twee mannen een gokkast van een trailer tilden. Hij begreep dat deze vermoedelijk afgeleverd moest worden in de kroeg waarvoor de aanhanger geparkeerd stond. De mannen leken al hun reserves aan te moeten spreken om de zware kast van de kar te tillen. In gedachten hoorde hij hun rugspieren kraken.

Op hetzelfde moment zag hij de kroegdeur opengaan. Er stapte een man naar buiten die hem vaag bekend voorkwam. Een seconde later herkende hij hem van de foto's uit het archief.

Hij keek vluchtig om zich heen. Nikka was nog in geen velden of wegen te bekennen. De man, van wie hij zeker wist dat het Colin Rigby was, was inmiddels in een rode Fiat gestapt en reed de Kerkstraat uit.

Benders keek nogmaals in de richting waarin hij Nikka vijf minuten geleden had zien verdwijnen. Daarna sloot hij het raam en besloot om Rigby te volgen.

Rigby reed de bebouwde kom uit. Benders moest remmen en belandde zowat in de berm toen de man op het allerlaatste moment besloot om op een rotonde rechtsaf te slaan. Hij nam meer afstand en volgde richting provinciale weg. Na de tweede kruising sloeg Colin af naar het dorp Wijdenes.

Om iedere schijn van achtervolging te vermijden, besloot Benders de afstand op de stille dorpsweg te vergroten. Rigby hield zich keurig aan de maximumsnelheid, waardoor de achtervolging geen enkel probleem opleverde. Nadat de laatste huizen waren gepasseerd, draaide de rode Fiat de dijk op. Eenmaal op de dijk liet Benders het raam zakken. Naast hem hoorde hij het ronkende geluid van tractoren. Een reiger zweefde boven het zwarte basalt. Erachter glinsterde het IJsselmeer.

Blijkbaar had Rigby geen enkele haast. De Fiat passeerde met een slakkengang een broedplaats, waar zwermen meeuwen luid krijsend het luchtruim vulden.

Benders vloekte ingehouden toen hij de uitwerpselen van de beesten op de voorruit uiteen zag spatten. Hij remde en reed de berm in toen Rigby vaart minderde. De Fiat sloeg linksaf en vervolgde zijn weg via een smal, met puin verhard paadje.

Zodra de auto uit het zicht was verdwenen, besloot Benders uit te stappen. Omzichtig stak hij de dijk over. Halverwege zag hij hoe Rigby het portier sloot om vervolgens een breed houten hek te openen.

Zonder op of om te kijken liep de man over een braakliggend terrein, dat - getuige de wildgroei - al jaren niet meer werd onderhouden. Na honderd meter stopte hij bij een grotendeels verroeste nissenhut. Voor de halfronde barak van gegolfd plaatstaal bleef de man een ogenblik voor een deur staan, alsof hij twijfelde naar binnen te gaan.

Benders deed een stap terug. De kans dat Rigby zich om zou draaien, alvorens de deur verder te openen, was groot.

Na dertig seconden waagde hij het erop. Rigby was weg. De deur stond nog halfopen, waaruit hij opmaakte dat de man ieder moment weer terug kon komen. Benders besloot daar niet op te wachten en Rigby te confronteren met zijn aanwezigheid.

Hij liep tien meter terug om vervolgens uit het gezichtsveld van de geopende deur de nissenhut te kunnen naderen. Opeens bleef hij staan om te luisteren. Wat hoorde hij? Waren dat stemmen?

Instinctief voelde hij dat er iets gaande was. Hij deed een paar stappen naar voren en bleef weer staan. Het waren inderdaad stemmen. Felle, kort uitgesproken zinnen resoneerden tegen het plaatstaal. Onverstaanbaar, maar dreigend. Om de een of andere reden moest hij er opeens aan denken, dat Nikka op dit moment vertwijfeld naar hem liep te zoeken. Hij maakte zich klein en sloop naar de deur. Ergens hoorde hij het klapperende geluid van een wegvliegende vogel. Daarna werd alles stil. Geen stemmen meer. Alleen de wind, die langzaam leek toe te nemen.

Vlakbij de deur kwam hij overeind. Op hetzelfde moment werd de stilte verbroken door twee oorverdovende knallen. Benders bleef als verstijfd tegen de plaatstalen wand staan. Hij dacht koortsachtig na. Het bevreemdde hem dat niemand de hut verliet.

Na enkele seconden besloot hij een kijkje te nemen. Hij was niet gewapend en besefte dat zijn actie niet zonder gevaar zou zijn. Voorzichtig sloop hij naar de nog halfgeopende deur en keek omzichtig naar binnen. Al snel was het hem duidelijk. Achter in de hut bevond zich een tweede deur die wagenwijd openstond.

Benders besefte dat het voor een achtervolging te laat zou zijn. Bovendien, hier binnen moest zich nog iemand bevinden die zijn hulp hard nodig kon hebben. Zijn ogen schoten door het vertrek. Midden in de loods stond een zwarte Volvo, waarvan het kenteken was verwijderd. Benders liep eromheen en keek een ogenblik later in het dode gezicht van Colin Rigby. Zijn hoofd hing onderuitgezakt tegen het rechterportier.Over zijn wangen liepen verse sporen van bloed. Hij was midden in het voorhoofd geschoten.

Benders keek vluchtig om zich heen. Achterin zag hij een afgeschermde ruimte die als spuitcabine was ingericht. Hij wist genoeg. Nogmaals keek hij naar het dode gezicht van Rigby. Hij haalde diep adem en dwong zichzelf na te denken. Daarna pakte hij zijn mobiel en belde het bureau. Het was half twee in de middag. De wind was inmiddels in kracht afgenomen.

*

'Klootzak! Je had toch kunnen bellen.'
'Sorry', zei Benders. 'Ik had je inderdaad moeten bellen, maar ik werd teveel in beslag genomen door de plotselinge verschijning van Rigby.'
Nikka bekeek hem sceptisch. 'Ik neem aan dat je dit goed gaat maken?', vroeg ze.
Benders keek haar verrast aan. Daarna knikte hij.
'Direct na jouw telefoontje hebben we de mogelijke uitvalswegen geblokkeerd,' vervolgde Nikka, 'maar blijkbaar waren we te laat. De vogel is gevlogen.'
Benders ging zitten. 'Ik maak me daar niet ongerust over', zei hij. 'Vroeg of laat wordt hij gepakt, daar ben ik zeker van.'
'Heb jij een idee waarom Rigby is vermoord?'

Benders schudde zijn hoofd. 'Nog niet', antwoordde hij.'Voorlopig ga ik uit van een afrekening. De heren waren vermoedelijk broeders in crime. In de loods waar ik het dode lichaam van Rigby heb aangetroffen, ontdekte ik dat deze ruimte werd gebruikt om gestolen auto's voor export klaar te stomen.'

'Liquidatie om een zakelijk geschil?'

Benders knikte. 'Vlak voordat er werd geschoten, waren ze in een felle discussie verwikkeld. Ik heb niet kunnen verstaan wat er werd gezegd, maar ga ervan uit dat ze een meningsverschil hadden.'

'Denk jij dat het Sune Boman geweest kan zijn?'

'Daar houd ik rekening mee.'

'Zou het kunnen zijn dat de ruzie is ontstaan, omdat Rigby aan Boman liet weten naar de politie te willen gaan in verband met de dood van zijn zoon?'

'Dat zou natuurlijk een verklaring kunnen zijn, maar misschien moeten we wel verder gaan.'

'Wat bedoel je?'

Benders zuchtte. Hij zocht naar woorden om helder te krijgen wat hij dacht.

'Laatst vertelde je mij toch dat je eraan dacht dat Rigby zijn zoon zou kunnen hebben vermoord?'

Nikka knikte. 'Dat klopt, ja. Omdat Dennis misschien van de praktijken van zijn vader op de hoogte kon zijn geweest.'

'Precies. Ik kon dat nauwelijks geloven. En geloof dat nog steeds niet.'

'Maar?'

'Ik heb erover nagedacht', zei Benders. 'Het kan ook als volgt zijn gegaan. Op de ochtend dat er melding werd gemaakt over de vermissing van Dennis, was er nog een melding. Een autodiefstal. Drie kilometer van de plaats waar Dennis is aangereden, werd een Mercedes gestolen.'

'Een Mercedes past niet in het rijtje van de Volvo's en

Saabs', merkte Nikka op.

'Maar blijft een interessant object voor autodieven.'

Nikka knikte.'Hoe laat kwam die melding binnen?'

'Rond acht uur,' antwoordde Benders, 'maar dat is het tijdstip van de ontdekking. Het kan natuurlijk heel goed dat hij rond half zes is gestolen.'

Nikka keek hem onderzoekend aan. 'Je bedoelt ...?'

Benders knikte. 'Rigby verloor zijn zoon. Een vader die zijn zoon verliest, is wanhopig. Door zijn criminele activiteiten was de drempel om naar de politie te gaan hem blijkbaar te hoog. Toch kon hij niet zomaar berusten in het gegeven, dat zijn zoon werd doodgereden.'

'Dus, jij denkt...?'

'Ja', zei Benders. 'Ik sluit niet uit dat Rigby zelf op onderzoek is uitgegaan en dat hij heeft ontdekt wie zijn zoon heeft aangereden.'

'Kan dat Sune Boman zijn geweest?'

Benders knikte.' Dat zou inderdaad kunnen', antwoordde hij.

14

Benders liep onrustig heen en weer in de aankomsthal van luchthaven Schiphol. Hij had zojuist gezien, dat het vliegtuig waar zijn dochter mee zou arriveren, was geland.

Femke had gevraagd of allebei haar ouders haar van het vliegveld af wilden halen. Zij zou alleen komen. Haar vriend, van wie ze had gezegd verder mee te willen, had haar laten weten daar anders over te denken. Hij bleek al getrouwd en vader te zijn van twee kinderen.

Benders had niet kunnen horen, dat zijn dochter daar kapot van was. Toch maakte hij zich zorgen. Hij vroeg zich af hoe het verder moest en had daar onderweg naar het vliegveld met Eline over willen praten. Maar Eline zei hem dat hij zich daar niet teveel zorgen over moest maken. Dat Femke een sterke vrouw was en dat ze haar weg wel weer zou vinden. Net als haar moeder, had hij toen gedacht.

Onderweg had hij met Eline aan één stuk door gepraat over hun scheiding. Aan de manier waarop Eline daarover sprak, besefte hij hoe definitief de breuk was. Anders dan een aantal jaren geleden was ze dit keer vastbesloten de scheiding door te zetten. Op zijn vraag hoe ze de toekomst zag, antwoordde ze hem dat ze het een uitdaging vond om zelfstandig verder te gaan. Ze vertelde hem enthousiast over haar plannen om samen met een vriendin een winkel te beginnen in klein antiek.

Meer dan ooit had hij beseft hoe sterk ze was.

Femke kwam met een volgepakte rugtas en een krant onder haar arm de hal inlopen. Ze zag er goed uit. De gelijkenis met haar moeder leek treffender dan ooit.

Eline liep als eerste op haar af. Benders zag hoe de twee belangrijkste vrouwen in zijn leven elkaar omhelsden en besefte dat hij zich had vergist. Zijn zorgen om Femke waren niet nodig geweest.

'Hoi, pa!!' Ze maakte zich los van haar moeder en kwam op hem aflopen.

'Dag, Fem. Hoe gaat het?'

Ze keek hem lachend aan en kuste hem. 'Lekker ontspannen klink je, pa. Met mij gaat het prima.' Ze gaf hem een arm en liep met hem naar Eline.

Met hun dochter tussen hen in verlieten ze de aankomsthal.

Femke praatte honderduit. 'Hoe gaat het met de zaak waar-aan je werkt, pa?', vroeg ze. 'Is het al opgelost?'

Benders schudde zijn hoofd en stapte op de roltrap richting parkeergarage. 'Nog lang niet', antwoordde hij.

Ze ging naast hem op de trap staan. 'Maak je je zorgen?'

'Niet meer dan anders', zei Benders. 'Vroeg of laat lossen we het op.'

'Dat bedoel ik niet, pa. Maak je je zorgen om mij?'

Benders keek haar aan. Naast hem zag hij een sterke, jonge vrouw van vijfentwintig die niet van plan leek om bij de pak-ken neer te gaan zitten.

'Niet echt', antwoordde hij. 'Je bent sterk. Jij vindt je weg wel.'

15

'Madame Vanderleyde is de dochter van een artsenechtpaar', zei Luc Heiman. 'Ze studeert inderdaad kunstgeschiedenis en haar ouders wonen in Gent.'

Paula zat tegenover hem in "De Schippershoek".

De gepensioneerde politieman had er zichtbaar genoegen in haar te informeren over de stand van zaken. 'Voor zover bekend heeft ze een smetteloos verleden', vervolgde hij.

'Je bedoelt dat ze geen strafblad heeft', zei Paula.

De oud-politieman knikte. Hij had erop gestaan dat ze hem tutoyeerde. Heiman was een charmante man. Uit zijn ogen straalden louter plezier, alsof hij het leven als één grote grap beschouwde. Ze kon zich voorstellen dat hij in zijn jonge jaren een echte hartenbreker was geweest. Een onvervalste Don Juan.

'Ik begrijp wat je bedoelt', zei hij glimlachend. 'Ook zonder strafblad kun je genoeg op je kerfstok hebben, maar zover ben ik nog niet.'

'Wat zijn haar contacten buiten de universiteit; ik bedoel: heeft ze een plek, een ontmoetingsplaats waar ze regelmatig komt?'

'Ik heb haar meerdere keren bij "Kassa 4" aan de Ossenmarkt naar binnen zien gaan', antwoordde Heiman. '"Kassa 4" is een bruine kroeg, een pleisterplaats voor studerend Antwerpen. Je begrijpt dat ik haar zover niet ben gevolgd; mijn aanwezigheid zou daar nogal opmerkelijk zijn geweest.'

'De keren dat je haar daar naar binnen hebt zien gaan, was ze alleen?'

Heiman knikte. 'Ja,' zei hij, 'maar er is me wel iets anders opgevallen.'

'Wat bedoel je, Luc?', vroeg Paula nieuwsgierig.

'Een van de keren heb ik haar samen met een man naar buiten zien komen', zei Heiman.'Ik had diezelfde man daar eerder al eens naar binnen zien gaan. Het was opvallend, omdat hij ouder was dan de gemiddelde bezoeker. Bepaald geen student meer.'

Paula knikte opgewonden. 'Omschrijf die man eens?', vroeg ze.

Heiman keek peinzend voor zich uit. 'Rond de veertig zou ik zo zeggen. Kalend, gecompenseerd door een staartje. Een artistiek type.'

'Walter Kooiman', dacht Paula hardop.

'Wie?'

'Sorry, ik zal het je uitleggen.'

Paula maakte Luc deelgenoot van haar vermoeden.

'Als wat ik vermoed juist blijkt, is het op zijn minst opvallend te noemen dat hij de belangrijkste getuige van zijn broer kent', sloot ze af.

'Góéd kent', vulde Heiman aan.

'Hoezo, goed kent?'

'Ze liepen stevig gearmd door de Ossenmarkt', verklaarde Luc. 'Als geliefden.'

'Als geliefden?'

Heiman knikte. 'Geen twijfel mogelijk', zei hij glimlachend. 'Ik herken dat onmiddellijk. Die twee geven om elkaar.'

*

'Als geliefden?'

'Dat zei ik toch.'

Benders had geduldig geluisterd naar wat Paula hem door de telefoon vertelde. Hoewel nog niet vast stond of het inderdaad om Walter Kooiman ging, twijfelde hij daar geen moment aan.

Maar waarom liepen zij daar als twee geliefden? De levendige en beeldschone Birgit Vanderleyde en de vijftien jaar oudere Kooiman waren geen koppel waar hij onmiddellijk aan zou denken, maar in de liefde is logica taboe. Toch had het hem beter uitgekomen als zij elkaar de huid hadden vol gescholden en openlijk blijk hadden gegeven van hun vijandschap. In dat geval had er sprake kunnen zijn van een getuige die in ruil voor een riante vergoeding een valse verklaring had afgelegd. Uit ervaring wist hij dat dergelijke getuigen hun opdrachtgevers later zouden chanteren, hen langzaam maar zeker uit zouden kleden, maar zeker niet als geliefden door Antwerpen zouden lopen.

'Vraag aan Luc of hij bij een volgende gelegenheid ongemerkt een foto van die twee kan nemen. Het liefst gearmd.'

'Wat wil je daarmee?'

'Allereerst een bevestiging dat het om Kooiman gaat, hoewel ik daar nauwelijks meer aan twijfel. Daarbij lijkt het me interessant om die twee persoonlijk met hun vriendschap te confronteren.'

'Goed', zei Paula. 'Ik zal het vragen aan Luc. Heb jij verder nog nieuws?'

Benders vertelde wat hij de afgelopen vierentwintig uur had ontdekt. 'Dat Vincent homofiel zou zijn hoorde ik van zijn oom', sloot hij af. 'Volgens hem heeft zijn vader hem om die reden de deur gewezen.'

Het bleef stil aan de andere kant.

'Ben je daar nog Paula?'

'Ja, sorry. Ik was even in gedachten.'

'Je hebt wel gehoord wat ik heb gezegd?'

'Ja. Je zei dat je erachter was gekomen dat Vincent homofiel is. Dat zette mij aan het denken.'

'Hoezo?'

'Afgelopen zondag ontmoette ik een jongen in een discotheek die me vertelde een vriend te hebben die uit de omgeving van Hoorn kwam.'

'Ja, en?'

'Later hoorde ik dat die jongen Vincent heet en dat het zijn ex-geliefde is.'

'Ging er bij jou toen geen belletje rinkelen?' 'Heel even, maar ik vond het te toevallig om er verder aandacht aan te schenken. Bovendien wist ik toen nog niet dat Vincent homofiel is.' Benders viel stil. Wat Paula zei klonk aannemelijk. De aanwijzingen waren te summier om alarm te slaan.

'Heeft die knaap nog iets over Vincent losgelaten dat van belang kan zijn?'

'Uit een gesprek met een vriendin kon ik opmaken, dat de Vincent over wie hij sprak ernstig ziek zou zijn. Dat hij vreesde voor zijn leven.'

Nadat Benders de hoorn terug op het toestel had gelegd, dacht hij eraan Paula niets te hebben verteld over de brand bij de familie Buskers. Onderzoek had uitgewezen dat de fietstas van Dennis Rigby was. Die middag ontbood hij Buskers op het bureau om een verklaring af te leggen.

Buskers zat met gebogen hoofd tegenover Benders. Zijn houding straalde schuld uit. Schuld en spijt. Het was een houding die paste bij de generatie waar Buskers deel van uitmaakte. Ontzag voor het gezag.

Benders had medelijden met de man die hij zojuist had gevraagd naar een verklaring over de aanwezigheid van de tas van de krantenjongen in zijn schuur.

'Het is.....het is allemaal mijn schuld', stamelde hij. 'Ik had veel eerder bij u moeten komen.'

'Wilt u hiermee zeggen dat u zich de tas van de jongen heeft toegeëigend?'

Buskers schudde zijn hoofd. 'Zo is het niet. Zo mag u het niet uitleggen.'

'Hoe mag ik het dan wel uitleggen, meneer Buskers?'

De man keek omhoog. Blijkbaar deed de zalvende toon hem goed.

'Ik denk dat Anna de tas heeft meegenomen', begon hij. 'Een dag of zeven na de vermissing van de jongen ontdekte ik hem pas. Weet u, ik kom vrijwel nooit meer in de schuur.'
'Alles goed en wel, maar dan had u ons toch moeten inlichten daarover.'
'Buskers knikte. 'Dat is ook zo', gaf hij toe. 'Maar ik wil haar niet kwijt, ik wil Anna niet kwijt.'
Benders keek hem vragend aan. 'Ik denk niet dat ik begrijp wat u bedoelt.'
'Anna is ziek, inspecteur', verklaarde Buskers. 'Twaalf jaar geleden verloren wij onze zoon, Tommy. Tijdens zijn krantenwijk reed hij met zijn fiets een onbewaakte spoorwegovergang over. Hij werd gegrepen door een trein. Zijn lichaam werd in stukken gereten, zijn gezicht was onherkenbaar verminkt. Tommy was onze enig kind. Hij was veertien jaar. Hij kwam nadat wij de hoop al hadden opgegeven. Anna was toen al tweeënveertig.'
Benders knikte. Hij kende dit verhaal al van Nikka, maar was toch geschokt.
'Mijn vrouw raakte na het gebeuren in een shock,' vervolgde Buskers, 'en is daar nooit meer uitgekomen.'
Er volgde een stilte. De man keek Benders aan met ogen die begrip leken te zoeken en die ook meenden te hebben gevonden. 'Ze zwijgt al twaalf jaar', vervolgde hij. 'De artsen hebben haar uitvoerig behandeld, maar geen enkele therapie bracht uitkomst. Anna blijft zwijgen. Naar wat er in haar hoofd omgaat, kan ik slechts raden.
Langzaam, heel langzaam, heb ik me weten aan te passen aan de nieuwe situatie. Door heel opmerkzaam te zijn leerde ik uit haar gedragingen, uit de veranderingen op haar gezicht, te begrijpen wat ze voelt. Het was een lang proces, maar blijkbaar beschikken wij mensen over het creatieve vermogen om ook zwijgend te kunnen communiceren. Anna en ik slaagden daar althans heel goed in. Tot voor een maand geleden het gedrag van Anna begon te veranderen. Ze gedraagt zich

steeds verwarder. Begint dingen te vergeten. De simpelste dingen. Aan de dagelijkse bezigheden, zoals het bereiden van een maaltijd, moet ik haar helpen herinneren.

Uiteindelijk besloot ik met haar naar een arts te gaan en deze adviseerde mij Anna op te laten nemen, maar daar wilde ik niets van weten. Toen nog niet tenminste.'

Benders knikte geduldig. Hij vroeg zich af waar Buskers naar toe wilde. Hoewel hij daar wel een vermoeden van begon te krijgen.

'De eerste keer dat Dennis Rigby bij ons de krant bezorgde, stond Anna voor het raam te kijken', vervolgde Buskers. 'Ik merkte onmiddellijk dat er iets aan de hand was. Ze liep als een gekooid dier op en neer bij het raam, alsof ze naar een opening zocht om naar de jongen toe te kunnen gaan.

Eerst begreep ik niet goed wat er aan de hand was, maar later besefte ik wat haar zo van streek maakte. Ze moet in de krantenjongen Tommy hebben herkend. Dennis was even oud als onze zoon en er was ook sprake van enige gelijkenis. Daarbij, Tommy was ook een krantenjongen.

Na die eerste keer herhaalde zich dat. Het viel me op dat het zien van de jongen haar goed deed, dat ze er blijer van werd. Later ging ze ook naar buiten om de krant van de jongen aan te nemen. Ze keerde dan terug met een lach op haar gezicht. Een lach die ik in jaren niet meer had gezien. Als van een kind.

Het leek allemaal onschuldig. Ik stimuleerde haar dan ook om naar de jongen toe te gaan. Als zij het vergat herinnerde ik haar eraan. Maakte ik haar wakker.

Maar op die bewuste ochtend sliep ik. Ik heb haar niet uit bed horen gaan. Ik weet dan ook niet wat er op die ochtend is gebeurd, maar zeker is wel dat Anna van slag was en dat ook de weken daarna is gebleven.'

'Maar u had geen idee waardoor?'

'Nee. Eerst dacht ik dat het door de vermissing kwam, dat ze instinctief aanvoelde dat er iets mis was.'

'Totdat u de tas in de schuur aantrof.'

'Ja', beaamde Buskers.'Ineens werd alles me duidelijk. Ze moet welhaast getuige zijn geweest van de aanrijding.'

Benders knikte .'In haar beleving verloor ze dus voor de tweede keer haar zoon.'

De man keek hem dankbaar aan. 'Ik ben blij dat u me begrijpt, inspecteur. Anna koesterde de fietstas. Als een relikwie. Ze stak iedere dag kaarsen aan. Het was al eerder fout gegaan.'

'Hoe is het nu met uw vrouw?'

'Haar zuster is nu bij haar. Ik maak me zorgen. Binnenkort wordt ze opgenomen.'

Benders ging staan. 'Ik zal u niet langer ophouden, meneer Buskers.' Hij gaf de man een hand en knikte hem bemoedigend toe. Hij begreep hem inderdaad. Die vrouw moest door een hel gaan.

*

'Een stomme getuige dus.'

Benders knikte naar Nikka. Ze had aandachtig geluisterd. Aan haar gezichtsuitdrukking kon hij merken dat ook zij zich het lot van de Buskers aantrok.

'Ja', antwoordde hij. 'Als getuige heeft ze dus geen enkele waarde.'

'Kunnen we haar niet confronteren met een foto van Boman, misschien kan uit haar reactie worden opgemaakt dat ze hem herkent.'

'Onder geen voorwaarde', besliste Benders. 'Die vrouw heeft genoeg voor haar kiezen gehad.'

Nikka knikte. 'Morgen is er een persconferentie', zei ze. 'Zullen we dit verhaal er maar buiten houden?'

'Alsjeblieft wel. Het heeft geen enkel nut om dit de wereld in te brengen.'

'Goed, dan laten we het hierbij.' Ze schikte wat papierwerk op haar bureau en keek Benders vragend aan. 'Of had jij nog wat?'

Benders schraapte zijn keel. 'Ik heb geen eten in huis gehaald', zei hij aarzelend. 'Ik dacht, misschien kunnen we.....'

Nikka glimlachte. 'Hoe laat spreken we af?'

'Wat heeft jouw voorkeur?'

'Half acht bij de Italiaan?'

'Ik zal er zijn', beloofde hij.

Hij verliet het kantoor van de commissaris met een herkenbaar gevoel. Van vroeger. Van toen hij nog een schooljongen was.

Toen Benders terug in zijn kantoor kwam, zag hij Ben Teulings met de handen op zijn rug voor het raam staan. Na het geluid van de dichtslaande deur draaide hij zich verschrikt om.

'Sorry, Frank', zei hij snel. 'Je was er niet,dus ik dacht....'

Benders maakte de technisch rechercheur duidelijk dat hij zich niet hoefde te excuseren en vroeg hem te gaan zitten. 'Ongetwijfeld heb je een dringende reden om ongevraagd mijn kamer in te stappen', zei hij, terwijl hij tegenover Teulings plaats nam. 'Dus ik zou zeggen voor de draad ermee.'

De technisch rechercheur schraapte zijn keel. 'We hebben op jouw verzoek de loods, waar die Rigby is vermoord, onderzocht', begon hij. 'Zoals je verwachtte, werd deze ruimte inderdaad gebruikt om gestolen auto's voor export klaar te stomen.'

Benders knikte. 'Dat leek me direct duidelijk, ja. Heb je nog bruikbare informatie kunnen ontdekken?'

'Niet echt', antwoordde Teulings. 'De heren hebben nauwelijks sporen achtergelaten. Het enige wat we vonden waren wat lakresten, waardoor je kunt inschatten in welke kleuren ze hun gestolen waar hebben gespoten.'

'Professionals dus.'

'Kun je wel zeggen, ja.'

Benders keek Teulings aan. 'Maar…..?'

'We hebben de eigenaar van de Volvo die daar stond, niet kunnen achterhalen', vervolgde de technisch rechercheur. 'Zoals verwacht waren kenteken en chassisnummer verdwenen. We zijn dus alle meldingen van gestolen Volvo's nagegaan, maar bij geen daarvan vonden we de eigenaar.'

'Vakantie wellicht.'

'Ik weet wat je denkt', zei Teulings. 'Het is te vroeg om conclusies te trekken, maar ik heb nog wat ontdekt.'

'Verdomme, Ben wat maak je het omslachtig. Wat heb je nog meer ontdekt?'

'De Volvo heeft kortgeleden een aanrijding gehad. We hebben lakschilfers op de bumper gevonden.'

Benders voelde zich warm worden. Hij kende Teulings te lang om te twijfelen aan het belang van zijn boodschap. Tegenover hem zat een man die het niet in zijn hoofd zou halen om hem zonder duidelijke reden te laten weten wat hij had ontdekt.

'Lakschilfers?'

Teulings knikte en keek op zijn horloge. 'Twintig minuten geleden kreeg ik van het lab bevestigd dat het de schilfers van de krantenjongen zijn fiets waren .'

'Weet je….'

'Geen twijfel mogelijk', onderbrak Teulings beslist. 'Deze Volvo heeft Dennis Rigby aangereden.'

Benders staarde hem verbluft aan. Hij stond met een ruk op uit zijn stoel en liep onrustig heen en weer. 'Heb je de auto nog nader onderzocht?'

'Dat kan nauwkeuriger, maar je begrijpt dat ik eerst dit boven water wilde hebben.'

Benders knikte. 'Goed werk, Ben', zei hij. 'Dit kan een doorbraak betekenen in de zaak Dennis Rigby.'

'Waar denk jij dan aan?'

Benders maakte de technisch rechercheur deelgenoot van zijn vermoeden, dat Rigby werd vermoord omdat hij erachter was gekomen dat Boman zijn zoon had doodgereden.

'Jij gaat er dus vanuit dat Boman de krantenjongen kan hebben aangereden in een gestolen auto?'

'Ja', beaamde Benders. 'Daar houd ik rekening mee.'

Teulings keek hem peinzend aan. 'Rest natuurlijk de vraag waarom de eigenaar van de Volvo zich niet heeft gemeld.'

Benders knikte nadenkend. 'Zou jij wat voor me willen doen, Ben?'

'Ik doe niet anders', zei de technisch rechercheur grijnzend.

De opmerking ontging Benders. Ondertussen liep hij naar zijn bureau om een lijst met namen op te schrijven.

'Wil jij voor mij nagaan of de Volvo van een van deze mensen geweest kan zijn?'

Teulings nam het lijstje aan en las het vluchtig door. Daarna keek hij de inspecteur met grote ogen aan. 'Denk jij werkelijk dat dat kan bestaan?', vroeg hij verbaasd.

'Ik weet het niet', antwoordde Benders naar waarheid. 'Maar ik mag het niet uitsluiten.'

*

"Bella Italia" was een klein, sfeervol restaurant in het hartje van het Hoornse centrum. Benders liet zich leiden door Nikka en koos voor de spaghetti quattro formaggi.

De kleine Italiaanse ober adviseerde voor de wijn een Chianti en maakte een diepe buiging, nadat de gasten zijn advies hadden opgevolgd. 'U zult daar geen spijt van krijgen', zei hij in gebroken Nederlands.

Het restaurant zat vol. Ze hadden eerst nog even aan de bar moeten wachten, voordat er een tafel vrijkwam. Benders was begonnen om aan Nikka te vertellen wat hij deze middag van Teulings had gehoord, maar werd halverwege zijn verhaal onderbroken door de ober die hen attent maakte op een vrije tafel.

'Begin nog eens bij het begin', zei Nikka, zodra ze hadden plaatsgenomen. 'Door het rumoer aan de bar heb ik nauwelijks kunnen horen wat je precies zei.'

Benders wachtte tot de ober de wijn had ingeschonken en vertelde haar opnieuw wat hij deze middag had gehoord.

'Dus hiermee is jouw vermoeden bevestigd, dat Boman de zoon van zijn compagnon heeft doodgereden', zei Nikka, nadat hij was uitverteld.

Benders hief zijn glas.'We zijn in ieder geval een stap dichterbij,' zei hij, 'maar er is nog niets bevestigd.'

Terwijl de glazen tegen elkaar klonken, zag hij dat er iets anders was aan Nikka. Ze had haar ogen opgemaakt en droeg gouden knopjes in haar oren.

'De bevestiging lijkt me een kwestie van tijd', zei Nikka.

Benders reageerde niet. In plaats daarvan keek hij vol bewondering toe hoe handig de commissaris de spaghetti in haar lepel draaide en vroeg zich af waar ze dat kunstje had geleerd.

'Of denk jij daar anders over?', vroeg ze ongeduldig.

'Zodra Boman is gevonden zullen we meer weten', zei hij. 'Tot zolang blijft alles nog open.'

Nikka liet haar lepel op haar bord rusten en keek hem vragend aan. 'Je houdt er dus rekening mee dat het ook anders kan zijn gegaan.'

Benders knikte. Hij vertelde Nikka over de lijst met namen die hij aan Teulings had meegegeven om te controleren.

'Misschien is het wat ver gezocht,' lichtte hij toe, 'maar ik wil voor mezelf de zekerheid dat ik die mogelijkheid niet over het hoofd heb gezien.'

Nikka was verder gegaan met eten. Aan de uitdrukking op haar gezicht kon hij zien dat ze er niets in zag.

'Jij gelooft er niet in?'

'Ik weet het niet', antwoordde ze. 'Ik vind het een bizar idee.' Ze nam een slok van haar wijn en keek hem een poosje aandachtig aan. 'Ik weet van mezelf dat ik te snel geneigd ben de betekenis van het onvoorstelbare te onderschatten', vervolgde ze. 'Misschien is je veronderstelling dus wel juist, maar geloven kan ik het nauwelijks.'Benders worstelde verder met zijn spaghetti en dacht na over wat Nikka hem zojuist had verteld. Inderdaad was het nauwelijks voor te stellen, maar zijn meer dan dertigjarige loopbaan had hem geleerd dat, tot het tegendeel was bewezen, alle mogelijkheden open moesten worden gehouden.

'Waarom gebruik je je lepel niet?'

Opgeschrokken uit zijn gedachten keek hij haar aan. 'Nooit geleerd', antwoordde hij naar waarheid.

Nikka lachte. Een heldere spontane lach, die hij niet eerder van haar had gehoord.

'Bij gelegenheid zal ik je het eens leren', beloofde ze nog nagrinnikend.

Na afloop bestelden ze beiden een cappuccino en praatten nog wat na. Daarna vroeg Benders om de rekening.

'Dit moeten we vaker doen', zei hij. 'Ik vond het leuk om buiten het werk om met je te praten.'

'Ondanks dat ik je heb uitgelachen?'

Benders haalde zijn schouders op. 'Ik ga thuis oefenen', zei hij.

Ze verlieten het restaurant. Benders dacht met tegenzin aan het lege appartement, dat op hem wachtte. Hij vroeg zich af of het gepast was Nikka te vragen met hem mee te gaan om nog wat na te kletsen. Hij besloot het niet te doen.

'Ik zal je naar huis brengen', zei hij. 'Dan haal ik straks mijn auto wel op.'

'Dat is aardig van je', zei ze. Ze gaf hem spontaan een arm. Het was een heldere avond en Benders betrapte zichzelf erop, dat hij zich in tijden niet zo ontspannen had gevoeld. Hij vroeg zich af of dat te maken kon hebben met de vrouw die aan zijn arm liep en van wie hij zeker dacht te weten dat zij zich ook zo voelde.

'Waar loop je aan te denken?', onderbrak Nikka zijn gedachten.

'Aan niets', antwoordde hij ontwijkend. 'Ik geniet van deze mooie avond.'

'Hoe is het met je dochter? Was ze blij om je weer te zien?'

'Ze was vooral blij weer thuis te zijn. Ze had een rot tijd achter de rug.'

Hij vertelde Nikka in het kort wat Femke de afgelopen jaren had meegemaakt en sloot af met te zeggen dat hij trots op haar was.

'Dat kun je ook zijn', zei Nikka.

Hij wachtte op een vervolg, maar dat bleef uit. Toch meende hij zeker te weten, dat ze meer had willen zeggen. Blijkbaar werd ze ergens door geblokkeerd.

Ze waren de haven gepasseerd en naderden zwijgend het appartementencomplex waar Nikka woonde. Zonder dat hij begreep waarom voelde hij plotseling een licht gevoel van medelijden voor de vrouw die naast hem liep. Er was iets gebeurd dat haar stemming had doen omslaan, maar hij voelde ook dat ze hem over de reden daarvan geen deelgenoot wilde maken.

'Je hebt me nog niets verteld over je schildersactiviteiten', zei hij in een poging het gesprek weer op gang te brengen. 'Ik heb je werk in de ontvangsthal van het bureau zien hangen en moet zeggen, dat ik het meer dan de moeite waard vind.'

Nikka bleef staan voor de ingang van het appartementencomplex en zwaaide naar een oudere vrouw aan de overkant die daar met een klein wit hondje liep. De hond bleef onder een lantaarnpaal staan en blafte enkele keren, alsof hij Nikka wilde begroeten. Het beestje deed Benders denken aan het hondje van Birgit Vanderleyde. Waarschijnlijk was het van hetzelfde ras.

Nikka opende de deur.'De volgende keer zal ik je daar alles over vertellen', beloofde ze. Ze stak haar hand uit en bedankte hem voor de gezellige avond. Voordat hij de kans kreeg te reageren, was ze door de glazen deur van het complex verdwenen.

Benders staarde haar na. Hij zag een eenzame vrouw die in een verlaten hal voor de lift stond te wachten. Alsof hij in een spiegel keek.

Benders reed terug naar huis. Hij dacht aan Nikka. Op een vreemde manier voelde hij zich schuldig. Er moest iets zijn gebeurd, waardoor haar stemming was veranderd. Maar wat? Hoe hij ook groef, hij kon het zich niet herinneren. Of had hij het zich verbeeld? Had hij een inschattingsfout gemaakt? Was het zijn verbeelding die hem parten speelde?

De telefoon ging. Hij keek op het digitale klokje in zijn auto en vroeg zich af wie hem zonodig om tien over elf 's avonds nog moest bellen. Verontrust drukte hij op de toets met het groene telefoontje .

'Zegt u het maar.'

Hij herkende de stem van Paula onmiddellijk. Ze excuseerde zich voor het late bellen, maar verzekerde hem van het belang hiervan.

'Ik ben teruggegaan naar de discotheek waar ik de vriend van Vincent Kooiman had ontmoet', begon ze hijgend. 'Ik had geluk. Hij was er weer.'

Er volgde een ogenblik stilte, waarin hij uitsluitend haar zware ademhaling hoorde.

'Sorry', zei ze na enkele seconden. 'Ik heb hard moeten lopen om die verdomde taxi te halen.'

'Ik dacht jij zo hard aan je conditie werkte?'

Hij hoorde haar grinniken. In iedere geval harder dan jij', zei ze licht nahijgend.

'Ik heb uitgebreid met Patrick gesproken', vervolgde ze.

'Wie is Patrick?'

'De vriend van Vincent Kooiman. Of ik kan beter zeggen zijn ex-geliefde.'

'Wacht even', onderbrak hij haar. 'Ik zet even mijn auto aan de kant.'

Benders manoeuvreerde zijn auto in de berm van de provinciale weg en meldde zich weer.

'Patrick bevestigde dat zijn vriend ziek is', vervolgde Paula. 'Hij heeft een spierziekte. Het zou om een agressieve vorm gaan. Zijn levenskansen zijn minimaal. De artsen geven hem hooguit nog een jaar.'

'Wat verschrikkelijk.'

'Vreselijk, ja. Ik voelde me ook niet prettig toen de jongen daar zo openhartig met mij over sprak. Hij deed dat in het volste vertrouwen. Vincent was zijn grote liefde. Hij beschreef hem als een innemende persoonlijkheid met grote artistieke kwaliteiten.'

'Beetje hoogdravend,' reageerde Benders, 'maar het zegt wel alles over zijn gevoelens voor Vincent.'

'Dat is ook zo', beaamde Paula. 'Patrick zei me dat hij er veel voor over zou hebben, maar dat hij helaas niet over de nodige contanten beschikte om zijn geliefde te helpen.'

'Wat bedoelde hij daarmee?'

'Hij vertelde me dat er een mogelijkheid bestond om Vincent te opereren, maar de kosten hiervan zouden zestigduizend euro bedragen.'

Benders floot tussen zijn tanden. 'Dat zou dus kunnen betekenen dat we een motief hebben.'

'Alles goed en wel,' zei Paula, 'maar we zitten nog wel steeds met zijn alibi.'

'Er zijn meerdere mogelijkheden.'

'Hoe bedoel je?'

'Patrick was niet de enige die er veel voor over zou hebben om Vincent te helpen. Denk maar aan Walter.'

Het bleef een ogenblik stil. 'Dat kan natuurlijk ook', beaamde Paula.

'Maar je gelooft er niet in?'

'Ik weet niet meer wat ik geloven moet.'

Benders hoorde haar wanhoop en twijfel . 'Toch denk ik dat we steeds dichter bij de waarheid komen', zei hij. Daarna vertelde hij haar het laatste nieuws en voegde daaraan toe welke conclusies hij daaruit had getrokken.

'Ik hoop je daar morgen meer over te kunnen vertellen', sloot hij af. 'Wanneer inderdaad blijkt dat de Volvo toebehoort aan een van de namen op mijn lijstje, kunnen we de zaak waarschijnlijk als opgelost beschouwen.'

'Ik begrijp niet dat je daarop rekent', zei Paula. 'Volgens mij is het zo dat de Zweed de krantenjongen in een gestolen auto heeft doodgereden. Dat de eigenaar van de auto zich nog niet heeft gemeld, hoeft niets te zeggen. Hij of zij kan wel voor een halfjaar in het buitenland zitten, om maar iets te noemen.'

Benders staarde naar buiten. Hij dacht na over wat Paula zojuist tegen hem had gezegd en schudde zijn hoofd. 'Dat kan natuurlijk ook', zei hij, maar geloofde er niet echt in.

16

Zodra Benders binnenstapte in zijn appartement werd hij overvallen door de leegte. Nog steeds voelde hij zich als een vreemde in zijn eigen huis, alsof hij in een hotelkamer verbleef. Was dit zijn nieuwe leven? Het veel bezongen vrijgezellenbestaan?

Hij schopte uit balorigheid tegen de schoenendoos, waarin foto's lagen opgeborgen die hij de avond daarvoor had bekeken. Herinneringen. Aan de kant geschopt, omdat ze hem onverschillig lieten?

Hij schudde zijn hoofd, pakte de doos van de vloer en borg hem op in de kast. Morgen zou hij er foto's uitzoeken om neer te zetten. Eline had erop aangedrongen dat te doen. "Het zal je helpen je thuis te gaan voelen", had ze gezegd.

Hij trok zuchtend zijn schoenen uit en bedacht ondertussen dat er slechts zeven etmalen waren verstreken sinds Eline had besloten alleen verder te willen. Toch kwam het hem voor dat het een langere periode was. De zeven etmalen voelden als jaren. Jaren die hij ervoer als de eenzaamste in zijn bestaan.

In een poging zich te vermannen liep hij naar de telefoon om zijn voice-mail af te luisteren. De vrouwenstem die hem vertelde drie berichten te hebben ontvangen, deed dat met de afstandelijke zakelijkheid die hij van haar kende. Toch verbeeldde hij zich nu een persoonlijke afkeer te horen. Alsof de vrouw hem ineens vijandig gezind was.

Het eerste bericht kwam van Paula. Hij begreep daaruit dat ze hem allereerst op zijn vaste nummer had willen bereiken. Het tweede bericht kwam van Femke met de belofte hem later op de avond nog eens terug te zullen bellen. Daarna hoorde hij een mannenstem die hem volstrekt onbekend voorkwam. Hij sprak in het Engels, maar Benders begreep onmiddellijk dat dit niet de moedertaal van de man was. Zijn uitspraak was zeer slecht. Toch was de boodschap hem duidelijk. De man eiste van hem zijn onderzoek naar de poldermoorden onmiddellijk te staken. Hij onderstreepte deze eis door te zeggen hem te doden als hij de eis zou negeren.

Benders staarde een ogenblik naar de grond. Daarna legde hij de hoorn terug op het toestel. Vreemd genoeg voelde hij, ondanks dat hij zo-even met de dood was bedreigd, geen enkele angst. Alsof de boodschap langs hem heen was gegaan en het dreigement niet voor hem was bedoeld.

Hij ging zitten en dacht na.Terwijl hij zich afvroeg hoe het kwam dat de waarschuwing hem geen angst bezorgde, zag hij hoe de buurman het balkon op was komen lopen om een sigaret te roken. Benders rookte al meer dan twintig jaar niet meer, maar kreeg plotseling ontzettende trek in een sigaret. Met grote moeite onderdrukte hij de neiging om de buurman er één te vragen. In plaats daarvan stond hij op om de gordijnen te sluiten en zich een borrel in te schenken. Na zijn tweede cognac besloot hij om het bericht nogmaals te beluisteren.

Tien minuten later, nadat hij de boodschap meerdere keren had herhaald, voelde hij nog steeds geen angst. Hij staarde naar de lege fles cognac. Het besef dat iemand hem met de dood had bedreigd leek niet tot hem door te willen dringen.

'We laten een stemanalyse maken', besloot Nikka. 'Voorlopig lijkt het me verstandig jou op een geheim adres onder te brengen.'

Benders zat tegenover haar. Hij had getwijfeld de commissaris op de hoogte te brengen van het bericht op zijn voicemail. Uiteindelijk had hij besloten dat toch maar te doen. Als formaliteit.

'Ik peins daar niet over', zei hij.'Ik laat me door zo'n idioot niet wegsturen.'

'Frank, je bent met de dood bedreigd. Ik zou dit uiterst serieus nemen.'

Hij hoorde haar zorg. Toen hij die morgen vroeg het bericht nogmaals had beluisterd, had hij er om gelachen. Amateuristisch had het geklonken. Een halfslachtige poging van een dorpsgek om hem de stuipen op het lijf te jagen.

'Voor mij hoeft die analyse niet', zei hij kalm. 'Het betreft hier gewoon een of andere randdebiel die zich te pletter verveelt. Een parasiet die teert op de ellende van een ander.'

'Zo lichtzinnig mag je dat niet beoordelen, Frank Benders!'

Benders keek haar aan. Misschien verbeeldde hij het zich, maar hij had de indruk dat Nikka gespannen was. Ze knipperde veelvuldig met haar ogen en kauwde voortdurend aan de poot van haar bril.

'Misschien is het een idee om voor wat extra bewaking te zorgen', zei hij in een poging haar tegemoet te komen.

Nikka knikte. 'Ik zorg voor permanente bewaking', zei ze. Haar gezicht was opgeklaard. Ze zette de bril op haar neus en keek naar het scherm van haar monitor.

Benders stond op. 'Voor ik het vergeet,' zei hij, 'Paula heeft gisteravond nog gebeld.'

Nikka nam haar bril weer af. 'Hoe laat was dat?', vroeg ze.

'Ik was onderweg naar huis. Rond een uur of elf dus.'

'Vandaar.'

'Vandaar wat?'

'Ik belde je ook rond die tijd.'

Benders ging weer zitten. 'Jij belde mij, waarvoor?'

Haar blik gleed over zijn gezicht. 'Ik had je willen vragen terug te komen', zei ze.

Hij kneep zijn ogen tot spleetjes. 'Terug te komen?'

Nikka knikte. 'Het is niet wat je denkt', haastte ze zich te zeggen. 'Ik wilde met je praten. Ik wilde je laten weten dat ons etentje van gisteravond als een incident moet worden gezien. Dat we het dus niet gaan herhalen.'

Benders viel stil. Hij zocht naar woorden om zijn reactie zo neutraal mogelijk te laten klinken, maar kwam niet verder dan het aarzelende knikken van zijn hoofd. 'Wil je nog horen wat Paula te vertellen had?', vroeg hij onzeker

'Natuurlijk.'

Hij probeerde zo helder mogelijk te vertellen wat Paula hem had laten weten. Nikka keek hem verwonderd aan. 'Als Vincent een dodelijke ziekte heeft,' zei ze verbaasd, 'begrijp ik niet waarom geen van de familieleden hier met ons over heeft gesproken.'

Benders knikte. 'Daar zullen ze dan een verdomd goede reden voor hebben gehad', zei hij.

Terug in zijn kantoor werd hij opgewacht door Ben Teulings. De technisch rechercheur zat met een rapport op schoot, waarvan Benders onmiddellijk begreep dat dit het verslag van zijn onderzoek in de nissenhut moest zijn. Hij vroeg Teulings het rapport op zijn bureau te leggen met de mededeling, dat hij het die avond mee naar huis zou nemen om te bestuderen.

'Er staat niet veel meer in dan dat ik je al heb verteld', zei Teulings. 'Het enige opvallende dat ik heb ontdekt, is dat de Volvo een aangepaste bestuurdersstoel had. De stoel blijkt van Belgische makelij. We hebben kunnen achterhalen dat hij in Lokeren, in België, is gefabriceerd, maar navraag heeft ons geleerd dat het moeilijk wordt om na twee jaar nog na te gaan aan wie de stoel is geleverd.'

'Moeilijk of onmogelijk?'

'Dat hangt natuurlijk van de bereidheid af.'

'Die bereidheid is er dus niet.'

'Nee.'

'Kun je me al zeggen of de Volvo kan hebben toebehoord aan een van de namen op het lijstje, dat ik je laatst heb gegeven?'

Teulings schudde zijn hoofd. 'Niemand van jouw lijstje is de eigenaar van de Volvo', antwoordde hij beslist.

Benders vloekte. 'Het lijkt erop dat er in deze zaak niets mee mag zitten.'

Teulings haalde zijn schouders op. De uitdrukking op zijn gezicht verraadde, dat hij de mening van Benders niet deelde. 'Het gaat misschien niet zo voorspoedig,' zei hij, 'maar ik heb het gevoel dat we er wel uitkomen.'

Benders bromde iets, dat leek op het tegendeel, en vroeg Teulings om hem alleen te laten.

Zodra de technisch rechercheur zijn kamer had verlaten, ging de telefoon. Het was Paula. Ze vroeg hem of het waar was dat hij met de dood was bedreigd.

'Van wie hoorde je dat?' De vraag kwam er snauwend uit, alsof Benders plotseling ontzettend kwaad op Paula werd.

'Je hoeft op mij niet boos te worden. Ik was het niet die jou heeft bedreigd.'

'Sorry', zei Benders. 'Zo bedoelde ik het niet.'

'Het is dus waar?'

'Ja, maar ik kan het nauwelijks serieus nemen. De bedreiging kwam op mij nogal potsierlijk over. Een mafkees, denk ik.'

'Dat dacht Theo van Gogh ook destijds, maar hij is wel vermoord.'

'Mij vermoorden ze niet.'

'Ik geloof dat iedereen van jouw generatie zo denkt', hield Paula vol. 'Jij reageert net als de rest. Het beeld van de wereld is veranderd, maar jullie weigeren mee te veranderen. Waar in jouw tijd naar protestborden werd gegrepen, worden tegenwoordig de messen geslepen, Frank. Er worden mensen om niets vermoord. Om niets.'

Benders zweeg. Hij besefte dat het zinloos zou zijn om er tegenin te gaan.

'Heb je geen enkel idee wie het geweest kan zijn?'

'Nee.'

Hij hoorde Paula zuchten en begreep dat ze de strijd opgaf.

'Ik hoorde het zo-even van Nikka', bekende ze. 'Nikka vroeg of mijn aanwezigheid in Antwerpen nog langer noodzakelijk was.'

'Wat heb je geantwoord?'

'Dat ik weer naar mijn zoon wil. Naar Mike.'

'Dus je komt weer naar huis?'

'Ja. We vertrekken morgen in de loop van de ochtend.'

'Heb je nog iets kunnen ontdekken dat van belang kan zijn?'

'Niet echt, maar ik heb wel bevestigd gekregen wat ik je gisteravond heb verteld.'

'Hoe bedoel je?'

'Ik heb Vincent Kooiman vanmorgen zien gaan. Hij zat in een rolstoel en stak de Grote Markt over. Birgit duwde hem.'

*

Benders was wakker geschrokken van harde muziekgeluiden die van boven kwamen.

Hij keek een poosje verdwaasd om zich heen. Pas toen hij het rapport van Teulings voor zijn voeten zag liggen, drong tot hem door dat hij tijdens het lezen in slaap moest zijn gevallen.

Hij stond op uit zijn stoel en keek op zijn horloge. Het was tegen half negen en buiten was het donker. Hij herinnerde zich dat het nog licht was geweest toen hij het rapport begon te lezen en besefte, dat hij minstens anderhalf uur moest hebben geslapen.

De muziek boven zijn hoofd stopte, alsof zijn bovenburen hadden gezien dat de oude politieman van beneden er wakker van was geworden.

Hij liep naar de balkondeuren om de gordijnen te sluiten en dacht ondertussen aan zijn toekomstige bewakers. Nikka had gestaan op permanente bescherming. Hij gruwde bij het idee

straks lijdzaam toe moeten zien hoe twee mannen hem voortdurend en met grote vasthoudendheid zouden omringen.
Hoewel hem van meerdere kanten op zijn hart was gedrukt
dat hij de bedreiging serieus moest nemen, voelde hij nog
steeds geen angst. Hij beschouwde bewaking dan ook als
hinderlijk en overbodig.

Hoofdschuddend schoof hij de gordijnen dicht. Tegelijkertijd
hoorde hij ergens een geluid, dat het meest leek op het dicht-
slaan van een deur. Hij bleef een ogenblik staan en probeerde het geluid een plaats te geven. Plotseling drong tot hem
door dat er iets niet klopte. Buiten was het nog licht geweest
toen hij in slaap was gevallen. Nu was het donker en brandde er overal in het huis licht. Terwijl hij sliep, had iemand
kans gezien zijn woning binnen te dringen en de lichten aan
te doen. Dat kon alleen Femke zijn.

Hij draaide zich met een ruk om. In de deuropening die naar
de hal leidde, stond zijn dochter. Ze keek hem lachend aan.
Alsof het zien van haar vader haar op de lachspieren werkte.
Met de boodschap dat ze dag en nacht een beroep op hem
kon doen, had hij haar die middag na aankomst een dupli-
caatsleutel van zijn appartement gegeven. En daar had ze nu
gebruik van gemaakt.

'Ben je eindelijk wakker?', vroeg ze.

'Hoelang ben je hier al?'

'Minstens een uur. Ik heb naar *Goede tijden slechte tijden*
gekeken en was juist van plan om je wakker te maken.'

'Sorry.'

'Femke gaf hem een kus. 'Geeft niet', zei ze.

'Wil je koffie?'

Ze schudde haar hoofd. 'Ik heb al thee gedronken.'

Er volgde een korte stilte. Hij gebaarde haar te gaan zitten en
liep naar de keuken om koffie voor zichzelf te zetten.

'Ben je een beetje bijgekomen van je reis?', riep hij vanuit de
keuken.

'Ik ben hier niet om over koetjes en kalfjes te praten', negeerde ze zijn vraag.

Ze was hem gevolgd naar de keuken en kwam naast hem staan. 'Waarom heb jij mama zo gemakkelijk laten gaan?'

Benders schakelde het koffieapparaat in en keek haar aan. Hij had rekening gehouden met de kritische vragen van zijn dochter, maar werd nu toch door haar overrompeld.

'Wie heeft het hier over gemakkelijk?'

'Ach kom nou, pa. Je hebt niets gedaan om haar van gedachten te laten veranderen. Niets!'

'Dat zou ook geen zin hebben gehad. Het besluit van je moeder stond vast.'

'Je zou toch op z'n minst.......'

'Ik heb hier geen zin in, Fem', brak hij af.

Femke pakte een glas en vulde het met water. 'Je had nooit bij de politie moeten gaan', zei ze, terwijl ze de kraan dichtdraaide. 'Waarom heb je daar eigenlijk voor gekozen?'

Benders haalde zijn schouders op. Hij had zich de laatste jaren dezelfde vraag gesteld, maar daar nooit een afdoend antwoord op kunnen vinden.

'Ik denk dat mijn leven voorbestemd is geweest om politieman te worden.'

'Geef toch niet van die achterlijke antwoorden, pa. Je leven is wat je er zelf van maakt.'

Benders schonk zichzelf koffie in en schudde zijn hoofd. 'Soms maak je de verkeerde keuzes en kom je daar te laat achter.'

'Is dat jouw manier om te zeggen, dat je spijt hebt van je keuze om bij de politie te gaan?'

'Het is geen zaak van spijt. Er is een tijd geweest dat ik me als politieman trots en gelukkig voelde, maar de tijd heeft dat gevoel ingehaald.'

'Wat bedoel je daarmee te zeggen?'

'Dat ik niet had kunnen voorzien, dat er een dag zou komen

waarop een idioot mij met de dood bedreigt en ik vierentwintig uur per dag door bodyguards word gevolgd.'

Femke zette haar glas met kracht terug op het aanrecht en keek haar vader verbijsterd aan.

'Waar heb je het in godsnaam over, pa?'

Benders maakte zich los van het aanrecht en vertelde Femke over de telefonische bedreiging en het plan van de commissaris om hem permanent te bewaken.

Ze luisterde met open mond en zei hem dat ze dat een goed plan vond van Nikka, maar dat hij zelf ook voorzichtig moest zijn.

Daarna spraken ze over haar toekomst. Ze wilde zo snel mogelijk een baan gaan zoeken en had zich in laten schrijven voor een woning. Het speet hem toen zijn dochter opstond en zei dat ze maar weer eens naar huis ging.

Bij het afscheid drukte ze hem nogmaals op het hart voorzichtig te zijn. 'Ik kan je nog niet missen, pa', zei ze.

Nadat ze was vertrokken, raapte hij het onderzoeksrapport van Teulings van de grond. Hij ging zitten en probeerde te lezen, maar het lukte hem niet om zich te concentreren. Hij moest voortdurend denken aan wat Femke hem bij haar afscheid had gezegd.

Plotseling voelde hij zich benauwd worden. Hij legde het rapport naast zich neer en maakte het bovenste knoopje van zijn overhemd los. Met moeite hield hij zijn ademhaling onder controle.

Hij stond op en opende de balkondeuren. Het was een heldere avond. De sterren hadden hun vaste plaats aan de hemel. Ergens uit de donkere straat hoorde hij het geluid van een startende motor.

Hij haalde een aantal keren diep adem en sloot de deuren. Daarna begon hij heen en weer door zijn appartement te lopen. Onrustig. Als een dier, dat onraad ruikt. De angst had hem eindelijk te pakken.

De nacht werd een hel. Benders kon onmogelijk slapen. Hij was al meerdere keren zijn bed uit gegaan. Bij de laatste keer besloot hij alsnog het rapport van Teulings te gaan lezen. Zijn gebrekkige concentratie dwong hem om meerdere passages voor de tweede en soms zelfs derde keer door te nemen.

Teulings had het hem al gezegd. Er stond weinig in wat hij al niet wist. Zoals hij van de technisch rechercheur gewend was, was het rapport een uitgebreid verslag waarin hoegenaamd geen detail was weggelaten. Zelfs de vondst van enkele hondenharen op de achterbank was voor hem een reden om uitgebreid te vermelden.

Benders sloeg het rapport halverwege dicht. Verspilde energie, dacht hij somber. Hij zou er beter aan doen om naar bed te gaan en de uren die hem nog restten proberen in slaap te komen.

Eenmaal terug in zijn bed keerden zijn gedachten terug naar de avond die hij met Nikka had doorgebracht. Hij begreep nog steeds niet waarom haar stemming die avond zo plotseling was omgeslagen. Had hij iets gezegd, waardoor ze teleurgesteld in hem was geraakt? Maar wat? Hij herinnerde zich dat ze het over Femke hadden gehad. Het was Nikka zelf geweest die naar zijn dochter had geïnformeerd, maar wat er precies was gezegd kon hij zich niet meer herinneren. Daarna had hij het over haar schilderijen gehad en had ze naar een vrouw gezwaaid die haar hond aan het uitlaten was.......

Een plotselinge gedachte sloeg als een bliksem in zijn hoofd. Met een ruk sloeg hij het dekbed van zich af en spoedde zich naar de kamer. Gehaast pakte hij het rapport weer van de bank en begon er koortsachtig in te bladeren. Halverwege kwam hij de passage tegen waarnaar hij zo naarstig op zoek was. *In de grijze bekleding op de achterbank zijn enkele witte haren aangetroffen die bij nader onderzoek aan een hond moeten hebben toebehoord. Zoals uit de lengte van de haren blijkt, kunnen we er vanuit gaan dat het hier een kortharig ras betreft,* las hij snel.

Bij de herinnering aan het hondje dat die avond bij Nikka onder de lantaarnpaal had staan blaffen, had hij plotseling aan zijn bezoek aan Birgit Vanderleyde moeten denken. Haar hond was wit en van een kortharig ras.

Benders wist ook nog dat hij tijdens zijn bezoek aan Birgit een kussen in een stoel had omgedraaid, voordat hij was gaan zitten. Het was een rood kussen dat was bezaaid met witte, korte hondenharen. Kon dit toeval zijn? Of mocht hij hopen op een belangrijke doorbraak?

In het lijstje met namen van de mogelijke eigenaar van de Volvo had hij geen rekening gehouden met Birgit. Wel met Vincent en Walter. Ook Otto Verberne had hij tot de mogelijke daders gerekend, maar Birgit was geen seconde in hem opgekomen. En waarom wel? Wat zou haar belang bij de dood van het echtpaar Kooiman geweest kunnen zijn?

Hij keek op zijn horloge. Half zes. Hij was doodmoe en voelde een lichte hoofdpijn opkomen. Hij kon nauwelijks wachten om Teulings te vragen te achterhalen of de Volvo op naam van Birgit Vanderleyde stond, maar besefte dat hij daar nog even geduld mee moest hebben.

Om de tijd te overbruggen besloot hij om weer zijn bed in te gaan. Nadat hij eenmaal lag, bemerkte hij dat de gedachte aan een bevestiging van dit vraagstuk hem opwond en zelfs tijdelijk de angst voor een aanslag op zijn leven verdreef.

Twee uur later werd Benders zwetend wakker. Hij herinnerde zich dat hij had gedroomd. Het was een bizarre, erotische droom geweest, waarin Grazyna en Nikka een rol speelden. Grazyna was een Poolse vrouw die hij jaren geleden had ontmoet en op wie hij toen verliefd was geworden. In de droom vertolkte Grazyna de rol van de commissaris. Ze had hem verleid en hem meegenomen naar haar appartement. Tijdens het bedrijven van de liefde was Nikka binnengestapt. Ze kleedde zich zonder te aarzelen uit en mengde zich in het liefdesspel. Halverwege waren Grazyna en Nikka elkaar plotseling in de haren gevlogen vanwege een verschil van mening over het feit wie als minnares het hoogste scoorde. De strijd liep zo hoog op dat ze elkaar dreigden te vermoorden. Hij sprong tussen hen in om ze uit elkaar te halen, waarop ze hem vroegen zijn oordeel te geven. Nadat hij hen had gezegd dat er wat hem betrof geen enkel verschil was, lieten ze hun woede op hem los en smeten hem van tien hoog het raam uit. Beneden stond Eline om hem op te vangen. Zonder iets te zeggen hing ze hem over haar schouder en droeg hem naar huis.

Hij stapte uit zijn bed. Ooit had hij ergens gelezen, dat er achter iedere droom een diepere betekenis schuil gaat. Mensen zouden nooit zomaar iets dromen.

Misschien betekende zijn droom dat Nikka zich bij de twee vrouwen had geschaard die hij lief had. Onmiddellijk daarna verwierp hij deze gedachte als onzinnig. Het was gewoon een droom.

Zodra Benders het bureau instapte, riep Nikka hem naar haar kamer. Hij zei haar een ogenblik geduld te hebben en spoedde zich eerst naar het kantoor van Teulings. Tot zijn ergernis was de technisch rechercheur nog niet aanwezig, waarop hij de boodschap op een memoblaadje schreef en deze op het scherm van Teulings' monitor plakte. Om te benadrukken dat hij zo snel mogelijk antwoord wilde, schreef hij er in grote letters *SPOED!!* onder. Daarna meldde hij zich bij de commissaris.

'Het was de stem van een man tussen de veertig en zestig jaar', begon Nikka, zodra Benders tegenover haar had plaatsgenomen. 'De stem was vervormd. Waarschijnlijk heeft de man die jou bedreigde, een doek of iets dergelijks voor het spreekgedeelte gehouden. Ondanks dat kon de analiste met zekerheid vaststellen dat de man van Nederlandse afkomst was. Waarschijnlijk uit de kop van Noord-Holland. Ze vermoedde dat het om een laag opgeleide man gaat. De in het gebrekkig Engels gesproken boodschap was volgens haar van een geschreven tekst opgelezen. Een en ander kwam nogal verward over, vond ze, alsof de man onder invloed verkeerde.'

Benders keek Nikka vragend aan. 'Onder invloed waarvan?'

'Dat vermeldt ze er niet bij. Alcohol of drugs waarschijnlijk. Maar dat is toch niet van belang?'

'Het is wel degelijk van belang', zei Benders. 'Ze kan ook bedoelen dat hij onder invloed stond. Dat hij de tekst onder druk van een ander op moest lezen.'

Nikka toetste onmiddellijk een telefoonnummer in.

Benders kon zien dat ze geïrriteerd was. Een ogenblik later hoorde hij haar vragen wat er precies werd bedoeld met "het onder invloed zijn".

'Ja dat dacht ik al', zei ze een ogenblik later en keek hem met een schuin oog aan.

Benders zag haar triomf. Opeens moest hij denken aan zijn droom. Aan haar naakte lichaam. Hij vroeg zich af of hij haar ooit zou vertellen, dat hij in een droom met haar gevreeën had. Dat ze slaags was geraakt met Grazyna en hem uiteindelijk in de armen van Eline had gegooid.

'Drank of drugs', zei Nikka.

Benders knikte. 'Dat weten we dan', zei hij.

'Heb jij een idee wie het geweest zou kunnen zijn?'

Benders haalde zijn schouders op. 'Nee', antwoordde hij. 'Eerlijk gezegd staat mijn hoofd er ook niet naar om dat uit te willen zoeken.'

'Toch is het van belang dat dit gebeurt', zei Nikka streng. 'Je moet nagaan wie binnen de kring van verdachten in aanmerking zou kunnen komen.'

Benders schudde zijn hoofd. 'Ik zou het werkelijk niet weten', zei hij beslist.

'Dan moet je nagaan met welke mannen jij in verband met deze zaak contact hebt gehad.'

Benders keek op zijn horloge en stond op. 'Dat is goed', zei hij. 'Ik zal proberen een lijst samen te stellen met mogelijke kandidaten.'

Nikka zuchtte. 'Je belooft mij dit om van mijn gezeur af te zijn', zei ze. 'Maar het interesseert je geen ene moer. Als je straks de deur van mijn kantoor achter je hebt dichtgedaan, ben je het vergeten.'

Benders keek haar aan en ging weer zitten. 'Misschien heb je wel gelijk', zei hij. 'Maar het is niet zo dat ik de bedreiging niet meer serieus neem.'

Hij vertelde Nikka over de angst die hij voelde toen Femke hem op zijn hart had gedrukt voorzichtig te zijn. Daarna vertelde hij over zijn vermoeden naar aanleiding van het rapport van Teulings.

'Er lopen duizenden witte, kortharige hondjes rond', reageerde Nikka.

'Maar niet alle witte, kortharige hondjes hebben een baas met een Volvo, waarvan bovendien de aangepaste stoel van Belgische makelij is.'

Nikka knikte. 'Het is de moeite waard om na te gaan', gaf ze toe. 'Maar jouw leven heeft nog altijd mijn prioriteit.'

Benders gaf zich gewonnen en vroeg Nikka om een stuk papier met een pen. Zonder overtuiging schreef hij als eerste Walter Kooiman op, om vervolgens daaraan Otto Verberne toe te voegen. Daarna gaf hij het papier terug aan Nikka.

'Omdat Sune Boman niet beantwoordt aan het profiel van de analiste heb ik hem buiten beschouwing gelaten', zei hij. 'Maar dat wil niet zeggen, dat ik hem heb uitgesloten.'

Na zijn bezoek aan Nikka liep Benders door naar Teulings'

kamer. De technisch rechercheur zat achter zijn bureau. Hij keek zijn collega vol verwachting aan, maar zag een ogenblik later dat de memo nog aan de monitor hing.

'Heb je mijn verzoek niet gelezen?', vroeg hij, wijzend naar het gele papiertje.

Teulings keek hem verstoord aan. Waarschijnlijk was de toon van ergernis hem niet ontgaan. 'Ook goeiemorgen, Benders', zei hij nors. 'Zou je eerst niet eens gaan zitten?'

Benders pakte een stoel. 'Sorry', zei hij.

Teulings was een van zijn collega's voor wie hij respect had. Hij kende de technisch rechercheur al meer dan vijfentwintig jaar en bewonderde hem om zijn buitengewone ijver en zijn niet te stillen honger naar verklaringen. Meer dan eens was hij het geweest die een zaak door louter technisch bewijs tot klaarheid bracht. Over zijn privéleven wist Benders hoegenaamd niets. Pogingen om daar verandering in te brengen waren altijd vruchteloos geweest. Teulings had geen relatie en zijn enige passie naast zijn werk heette vissen. Daarmee hield zijn kennis wat betreft de integere rechercheur op. Teulings was om die reden ook zelden het onderwerp van gesprek. Hij deed zijn werk en deed dat altijd uiterst bekwaam.

'Mijn nieuwsgierigheid won het van mijn beleefdheid', zei Benders. 'Dus alsnog een goeiemorgen.'

Teulings bromde iets dat leek op "excuses aanvaard" en trok het memoblaadje van de monitor. 'Ik heb er onmiddellijk werk van gemaakt,' vervolgde hij, 'en het lijkt er op dat je gelijk krijgt.'

Benders keek hem verrast aan. 'Bedoel je dat....'

'Ik weet nog niets zeker', onderbrak Teulings. 'Er stond in ieder geval geen Volvo op naam van Birgit Vanderleyde, maar ik heb de fabrikant van de aangepaste stoel weer benaderd. De naam Vanderleyde zei hem wel iets. Ze zijn daar op dit moment in het klantenbestand aan het kijken of er twee jaar geleden een stoel is geleverd voor een Volvo die op naam van Vanderleyde stond'

Benders voelde zich warm worden. Hij wist nog niet precies wat het voor zijn onderzoek ging betekenen, maar als er een verband kon worden gelegd tussen de Volvo en Birgit zou dat van grote betekenis zijn. Daar twijfelde hij geen moment aan. De telefoon ging. Ongeduldig keek hij naar de kalmte, waarmee Teulings de hoorn van de haak nam. Hij zag de technisch rechercheur voortdurend knikken en aantekeningen maken op een kladblok dat voor hem lag. Benders probeerde te lezen wat Teulings noteerde, maar kon geen wijs worden uit zijn gekrabbel. Na enkele minuten die voor Benders als uren voelden, legde Teulings de hoorn met dezelfde kalmte terug op het toestel.

'De Volvo stond op naam van ene Guido Vanderleyde. Twee jaar geleden bestelde hij een aangepaste stoel voor zijn Volvo. Vanderleyde is arts en woonachtig in Gent.'

'Bingo!'

Teulings keek hem geamuseerd aan. 'Wie had het er laatst over dat er in deze zaak niets meezat?'

Benders stond op en knikte.'Het lijkt wel of een onderzoek eerst moet dreigen vast te lopen, voordat er een opening wordt gevonden', zei hij. 'Volgens een vast patroon. Of ligt dat aan mij?'

'Natuurlijk ligt dat aan jou', antwoordde Teulings. 'Je bent gewoon te ongedurig. De meeste rechercheurs worden bij het verstrijken der jaren rustiger, maar het lijkt of bij jou het tegenovergestelde aan de hand is. Je ziet er ook dodelijk vermoeid uit. Slaap je 's nachts wel?

'Onvoldoende. Maar straks, wanneer deze zaak is opgelost, haal ik dat wel weer in.'

'Ben je zo zeker van je zaak?'

Benders knikte. 'Ik ben er zeker van dat we de finale naderen, maar over de uitslag durf ik nog geen voorspelling te doen.'

Zodra Benders terug in zijn kantoor was, belde hij Paula op haar mobiele telefoon. Hij hoopte dat ze Antwerpen nog niet had verlaten.

Terwijl hij met zijn vingers op de vensterbank trommelde, dacht hij aan de woorden van Teulings. Ongedurig, had de technisch rechercheur hem genoemd. Maar was hij dat niet altijd geweest?

'Hallo, Frank.'

Benders schrok op en stamelde onnodig zijn naam. Hij moest nog altijd wennen aan de nummerherkenning.

'Zit je nog in Antwerpen?'

'Ja, we zouden rond een uur of elf vertrekken. Waarom vraag je dat?'

'Ik zou willen dat je nog iets uitzoekt, voordat je vertrekt.'

'Als dat dan maar niet te veel tijd neemt.'

Benders vertelde wat hij had ontdekt en vroeg Paula of zij bij de buren van Birgit wilde informeren of het bij een van hen bekend was dat Birgit een zwarte Volvo had gereden van het type V 80 en, zo ja, of het hen was opgevallen dat ze de Volvo na de poldermoorden niet meer hadden gezien.

'Bedoel je te zeggen dat je Birgit ervan verdenkt dat zij iets met de moorden te maken kan hebben?'

'Daar kan ik nog geen antwoord op geven. Het enige dat vaststaat, is dat de Volvo Dennis Rigby heeft aangereden. Als de auto ten tijde van de aanrijding in het bezit van Birgit was, lijkt het me dat ze ons veel heeft uit te leggen.'

Het bleef enige seconden stil aan de andere kant van de lijn.

'Luc liet me gisteren nog weten dat hij Birgit gistermorgen in een taxi had zien stappen', zei Paula uiteindelijk. 'Ze had twee koffers bij zich.'

Benders onderdrukte een vloek. 'Informeer dan bij Luc of hij weet om welk taxibedrijf het gaat en vraag of hij kan achterhalen wat haar bestemming was.'

Nadat Paula hem had beloofd haar best te zullen doen, legde

Benders de hoorn terug op het toestel. Juist toen hij zich afvroeg wat het kon betekenen dat Birgit met de noorderzon leek te zijn vertrokken, werd er op zijn deur geklopt. Het was Nikka.

Benders zag onmiddellijk aan de uitdrukking op haar gezicht dat ze een slechte boodschap voor hem had.'Wat is er gebeurd?', vroeg hij ongerust. 'Toch niets ernstigs hoop ik?'

'Ik ben bang van wel', zei Nikka. 'Zojuist kreeg ik een telefoontje van mijn Duitse collega Dietrich. Hij liet me weten dat ze Sune Boman de afgelopen nacht wilden arresteren. Tijdens de arrestatie is een vuurgevecht ontstaan, waarbij Boman werd geraakt.

'Is hij…?'

Nikka knikte.'Dood, ja. Ze schoten hem door zijn hoofd. Ik heb nog een tijdje met Dietrich gesproken en hem verteld dat wij Boman ervan verdachten Colin Rigby te hebben vermoord.'

'Hoe reageerde Dietrich daarop?'

'Hij zei dat we dat moesten vergeten. Boman was ten tijden van de moord op Rigby in Dresden. Daar bestaat geen enkele twijfel over.'

Benders sloeg met zijn vuist op het stalen bureaublad. Tegelijkertijd ging de telefoon. Hij nam met een nijdig gebaar op en zag hoe Nikka zijn kamer verliet.

Het was Paula. Ze struikelde over haar woorden en hij moest haar tot kalmte manen. 'Begin van voren af aan', verzocht hij na een poosje.'Ik heb de helft niet begrepen van wat je zei.'

Benders hoorde haar diep ademhalen; daarna begon ze haar verhaal opnieuw. Ze vertelde hem de naaste buurvrouw van Birgit te hebben gesproken. Dat van de Volvo klopte. Birgit had tegenover de buurvrouw verklaard, dat de Volvo terug naar haar vader was gegaan omdat deze ingeruild zou worden voor een nieuw model. Op de vraag of ze wist naar welke bestemming Birgit was vertrokken, antwoordde de buurvrouw dat dat haar niet bekend was, maar wel dat de trip drie weken zou gaan duren. Voor die periode had Birgit de buurvrouw namelijk gevraagd om op haar hond te passen.

'Heb je de buurvrouw ook gevraagd of Birgit alleen of met meerdere personen is vertrokken?'

'Nee, maar Luc zei me dat het taxibedrijf hem vertelde dat er na Birgit nog twee personen met dezelfde bestemming waren opgehaald. De plaats waar deze personen waren opgepikt, bleek het adres van Vincent Kooiman te zijn. De omschrijving van de taxichauffeur kwam overeen met het signalement van Vincent en Walter. Hij heeft ze gisteren in alle vroegte naar de luchthaven van Antwerpen gereden. Luc heeft uit laten zoeken wat hun reisbestemming was en kreeg te horen dat ze naar China waren.'

Benders hapte naar adem.' Naar China?'

'Ja, naar Peking om precies te zijn.'

Hij dacht koortsachtig na, maar kwam tot de conclusie dat hij weinig uit kon richten. Het leek niet aannemelijk dat het drietal op de vlucht was geslagen. Hij bedankte Paula voor de informatie en informeerde haar over de dood van Boman. In de stilte die daar op volgde, vroeg hij zich af wat hem te doen stond.

'Wat ben je nu van plan, Frank?', doorbrak Paula het zwijgen.

'Daar moet ik nog over nadenken', antwoordde Benders. 'Misschien moeten we geduldig zijn en afwachten.' Daarna verbrak hij de verbinding. Hij liep naar het raam en staarde naar buiten. De bewakers stonden tegen zijn auto aangeleund. De zon scheen en er was een strakblauwe hemel. Hij dacht aan Walter, Vincent en Birgit en vroeg zich af wat dit drietal in Peking had te zoeken. Maar hij vond het antwoord niet. Nog niet tenminste.

17

De volgende dag werd Benders vroeg wakker. Hij merkte dat hij zweette en sloeg het dekbed van zich af. Vroeger transpireerde hij nooit. Kwam het door het nieuwe dekbed? Of waren het de spanningen van de afgelopen weken die in zijn slaap doorwerkten?

Hij stond op en keek op de wekker. Het was half zeven. Hij trok de gordijnen open en zag dat het vandaag een heldere dag zou worden. Hij besloot een douche te nemen en daarna naar het strand te rijden om een lange wandeling langs de zee te maken. Hij wilde nadenken. Proberen orde te scheppen in de chaos die er de afgelopen weken in zijn hoofd heerste. Misschien dat de verfrissende zeewind zijn hoofd weer helder kon krijgen.

Om kwart voor zeven liep hij langs het strand van Bergen aan zee. Er stond nauwelijks wind en het was helder. Hij had zijn laarzen aangetrokken en liet de aanspoelende golven over zijn voeten rollen.

Op weg naar het strand hadden zijn bewakers hem gevolgd, maar op de parkeerplaats had hij ze aangesproken en gevraagd om tijdens zijn wandeling uit zijn buurt te blijven. Hij had er behoefte aan om alleen te zijn. Om ongehinderd na te kunnen denken.

Ze zeiden zijn wens te respecteren en op de parkeerplaats te zullen wachten op zijn terugkomst. Maar desondanks wist hij zich bespied. Het strand was leeg, toch voelde hij dat hij niet alleen was. Of was dat zijn verbeelding? Waren zijn schaduwen al zo met hem vergroeid dat ze zelfs in zijn verbeelding aanwezig waren?

Hij sprong opzij om een aanrollende golf niet de kans te geven in zijn laarzen te belanden en bleef wat verder van de vloedlijn lopen. Hij stak zijn handen diep in zijn zakken en probeerde erachter te komen wat zijn gevoelens waren. Wat hem had bewogen op deze vroege voorjaarsochtend als een jutter langs de zee te lopen. Maar alles bleef leeg. Alsof een dikke mist tot diep in zijn bewustzijn was doorgedrongen. Misschien moest hij hulp zoeken, bedacht hij wanhopig. Misschien moest hij in therapie. Een therapie voor opgebrande en gescheiden politiemannen.

Onwillekeurig moest hij glimlachen om die absurde gedachten en bedacht tegelijkertijd tot zijn vreugde dat hij nog tot lachen in staat was.

Hij hief zijn hoofd omhoog en vermande zich. Er was geen tijd voor therapieën. Hij was nog steeds politieman en werkte aan een zaak die bij lange na nog niet was opgehelderd. Daarna zag hij wel verder. Als eerste nam hij zich voor nog diezelfde dag naar Gent af te reizen om de ouders van Birgit Vanderleyde te spreken. Tenslotte had de Volvo op hun naam gestaan en hadden zij geen aangifte van diefstal gedaan. Daarbij hoopte hij van hen te kunnen horen waarheen hun dochter was vertrokken en wat het doel van deze reis was.

Tevreden over dit voornemen besloot hij zijn wandeling voort te zetten tot de vuurtoren om vervolgens naar de parkeerplaats terug te keren Achter hem hoorde hij het geluid van een motor. Hij keek achterom en zag inderdaad dat er van grote afstand een terreinwagen zijn richting opkwam. De jeep reed met hoge snelheid langs de kustlijn.

Benders stond even stil om het schouwspel te bekijken. Het door vier wielen aangedreven voertuig croste moeiteloos door het mulle zand. Fantastisch gevoel moest dat geven. Ooit was zo'n auto een jongensdroom van hem geweest. Misschien moest hij er eens aan denken die droom in de nabije toekomst gestalte te geven.

De jeep leek zijn snelheid te hebben opgevoerd. Het mulle zand spatte tientallen meters de lucht in. De bestuurder maakte nog geen enkele aanstalten van richting te veranderen. Die klootzak zou hem toch wel zien?

Voor de zekerheid deed hij een paar stappen richting zee. Tot zijn schrik zag hij dat de auto zijn beweging volgde.

Pas toen het voertuig hem tot vijftig meter afstand was gena-
derd, herkende hij de Landrover. In een flits realiseerde hij
zich wat er gaande was en bleef een ogenblik als verlamd
staan kijken. Doe dan verdomme iets, schreeuwde het door
zijn hoofd.

In de verte zag hij een tweede jeep naderen. Drie seconden
later stond hij tot boven zijn enkels in zee. Otto Verberne had
hem op een haar na gemist.

Diezelfde middag klopte Benders bij de commissaris aan met
het verzoek Verberne te mogen spreken.

Nikka keek hem vorsend aan. 'Vergeet het maar', zei ze
streng. 'Jij gaat Verberne niet verhoren. Dat is onverant-
woord!'

Benders onderdrukte een vloek.'Die gek is mij een verklaring schuldig', protesteerde hij. 'Als ik dood moet, wil ik
weten waarom.'

'Kootstra doet het verhoor. Jij gaat naar huis en neemt je
rust.'

Benders zuchtte. Nikka leek vastbesloten. Maar de gedachte
om naar huis te gaan, stond hem tegen.'Thuis heb ik geen
rust', zei hij. 'Thuis komen de muren op mij af.'

'Frank, luister, ik.....'

'Ik ga naar Gent', onderbrak hij haar. 'Werk is op dit moment
voor mij de beste therapie.'

'Naar Gent? Wat moet je in godsnaam in Gent?'

Benders vertelde Nikka over de laatste ontwikkelingen.
'Voordat het drietal terugkeert, wil ik meer weten', verklaarde hij.

Nikka keek hem een poosje zwijgend aan. Benders zag dat
haar blik milder werd. Ze leek niet langer vastbesloten om
hem naar huis te sturen.

'Goed', zei ze ten slotte. 'Als jij zo nodig je zin door wilt
drijven, zal je moeten dulden dat ik met je meega.'

Benders viel stil. Hij had deze reactie niet verwacht en zocht naar woorden om de commissaris tot andere gedachten te brengen. Liever ging hij alleen naar de ouders van Birgit. 'Ik ga alleen naar Gent. Jij hebt hier je handen vol en....'

'Frank, doe niet zo eigenwijs', kapte ze hem af. 'Er is verdomme een aanslag op je leven gepleegd. Je hebt geluk dat je bewakers door hadden wat er gaande was. Denk je werkelijk dat ik je onder deze omstandigheden alleen naar Gent laat gaan?'

Benders keek naar de grond. Hij besefte dat Nikka niet was te vermurwen. En misschien had ze wel gelijk. Als zijn bewakers de strandpolitie niet hadden ingeschakeld zou Verberne niet hebben geschroomd een tweede poging te wagen. Hij besloot niet langer te protesteren. 'Goed', zei hij en keek op zijn horloge. Het was even na twee uur. 'Laten we zeggen dat we over halfuur vertrekken.' Daarna belde hij Vanderleyde om een afspraak te maken.

De familie Vanderleyde woonde in een buitenwijk van Gent. Benders was de achter hoge coniferen verscholen villa al twee keer voorbijgereden. Blijkbaar hadden de bewoners van het statige pand geen behoefte aan pottenkijkers.

Zonder zich af te vragen of het was toegestaan, parkeerde hij zijn auto op een naastgelegen groenstrook en stapte uit.

Nikka volgde onmiddellijk zijn voorbeeld. 'Ik denk niet dat deze groenstrook als parkeerruimte is bedoeld', zei ze, terwijl ze achter hem aanliep.

Benders haalde zijn schouders op. 'Ik kan de auto toch moeilijk op deze smalle rijweg laten staan', verdedigde hij zich.

Tijdens de autorit naar Gent waren ze nauwelijks tot een behoorlijk gesprek gekomen. Iets in de houding van de commissaris had hem er van weerhouden vertrouwelijk met haar te worden. Maar misschien had hij zich Nikka's afstandelijke gedrag alleen maar verbeeld.

Benders liep vooruit en opende het smeedijzeren hek, dat hen

krakend toegang verschafte naar de wit met geel gepleister-
de villa. Voordat hij de kans kreeg om aan te bellen, zwaaide
de voordeur open. In de deuropening verscheen een vrouw
van rond de vijfenveertig jaar. Benders zag onmiddellijk de
gelijkenis met Birgit.

Ze toonde een glimlach waaraan hij twijfelde of deze echt
was. 'Komt u verder', zei ze met beschaafde stem. Benders
miste het Vlaamse accent.

Ze stelde zich voor als Nicole Vanderleyde en ging Benders
en de commissaris voor door een lange, hoge gang. Aan het
einde opende ze een deur die toegang gaf tot een strak ingerichte woonkamer. De hoofdzakelijk in roomwit gestuukte
vierkante ruimte was royaal van afmeting.

Benders bleef midden in het vertrek staan en verbaasde zich
over de hoeveelheid foto's die aan de wanden hing.

'Fotograferen is een hobby van mijn man', zei de vrouw,
alsof ze zijn gedachten had geraden.

Benders keek goedkeurend naar een zwartwitfoto waarop hij
Birgit op jongere leeftijd herkende. Dertien jaar, schatte hij.
Smalle schouders, smalle heupen. Onschuldig. Een kind nog.
'Dat is Birgit, onze dochter. Ze was daar twaalf. Ik had van
mijn man begrepen dat u al kennis met haar hebt gemaakt.'
Benders knikte. 'Dat klopt, ja', zei hij. 'Ik weet niet of uw
man ook heeft verteld waarom….'

Guido heeft mij alles verteld', onderbrak ze hem. 'Ik begrijp
werkelijk niet wat u van ons wilt.'

'Het gaat ons om de Volvo. Wij begrijpen niet waarom er
geen aangifte van diefstal is gedaan.'

De Volvo is onze tweede auto. Birgit had hem al een poosje
in bruikleen. Ze heeft tegenover ons met geen woord gerept
over de diefstal. Het moet een vergissing zijn.'

Benders hoorde haar verwijt. Nicole had de toon gezet. Geen
kwaad woord over haar dochter.

'Er is geen sprake van een vergissing, mevrouw Vanderleyde', verzekerde Benders haar. 'De Volvo die wij hebben aangetroffen is honderd procent zeker de auto van uw man, daarover bestaat geen enkele twijfel.'

'Dan is dat duidelijk!'

Benders keek geschrokken achterom.

In de deuropening stond een man van rond de vijftig. Lang. Minstens één meter negentig. Smal gezicht. Kort geknipt grijs haar, een verzorgd uiterlijk en een innemende glimlach. Hij stapte energiek naar binnen, waarop hij zich voorstelde als Guido Vanderleyde

'Als het waar is, wat u beweert, heeft onze dochter straks veel uit te leggen', merkte hij op. Hij bood Benders en Nikka een zitplaats aan de eettafel aan en ging zelf tegenover hen zitten. 'Ik heb na uw telefoontje van vanmorgen nog geprobeerd contact met Birgit te krijgen,' vervolgde hij, 'maar ik denk dat het tijdsverschil ons parten heeft gespeeld. Waarschijnlijk slaapt ze rond deze tijd.'

Benders knikte. Het viel hem op dat Nicole na de binnenkomst van haar man de kamer geruisloos had verlaten. Alsof ze door hem was weggestuurd.

'Zou u een reden kunnen bedenken waarom Birgit de diefstal van uw auto heeft verzwegen?'

'Geen enkele', antwoordde Vanderleyde. 'U, wel?'

Benders was niet voorbereid op deze directe tegenvraag en zocht naar de juiste woorden. 'Ik zou het u niet hebben gevraagd wanneer het antwoord mij bekend is', zei hij ten slotte.

'Maar u hebt wel een vermoeden?'

Benders keek hem verwonderd aan. Hij verbaasde zich over de scherpte van deze man. 'Ik heb een theorie,' bekende hij, 'maar dat is een heel verhaal.'

Vanderleyde knikte. 'Het is mijn vak om te luisteren', zei hij.

'Steekt u maar van wal.'

Benders schraapte zijn keel. Hij vertelde de aandachtig

luisterende Vanderleyde wat er zich de afgelopen tijd had afgespeeld, hier en daar aangevuld door een opmerking van Nikka. Benders zag dat de arts na zijn relaas zichtbaar was aangedaan. Hij schoof met zijn rechterhand heen en weer over het granieten tafelblad, alsof hij naar woorden zocht om zijn verbijstering te verklaren. 'Ik heb Vincent twee jaar geleden voor het eerst ontmoet', begon hij, nadat hij zich leek te hebben hervonden. 'Een aardige jongen. Via hem heeft Birgit haar grote liefde leren kennen.'

'U bedoelt Walter?

Vanderleyde knikte naar Benders. 'Walter is de broer van Vincent, ja. Birgit ontmoette hem op een expositie. Om u eerlijk de waarheid te zeggen waren wij niet erg ingenomen met haar keuze. Wij hadden andere verwachtingen.' Hij stopte even en staarde nijdig voor zich uit, alsof de herinnering aan dit conflict zijn boosheid weer levend had gemaakt. 'Birgit is nu zwanger van Walter', vervolgde hij na een poosje. 'Ze willen zich binnenkort in Antwerpen vestigen.'

Vanderleyde stond op en liep naar de foto van Birgit. 'Vincent lijdt aan een dodelijke ziekte', vervolgde hij, kijkend naar zijn dochter. 'Ze zijn naar Peking vertrokken om zestigduizend euro aan een kwakzalver te betalen. Voor niets! Helemaal voor niets.' Hij draaide zich om en ging weer zitten.

Benders zag de woede op zijn gezicht. 'De laatste strohalm?'

Vanderleyde schudde zijn hoofd. 'Er is geen sprake van een strohalm. Vincent lijdt aan de zeldzame zenuwziekte amyotrofische lateraalsclerose, beter bekend onder de naam ALS. Bij ALS raakt het lichaam geleidelijk aan verlamd. Uiteindelijk raakt ook het ademmechanisme aangetast en stikt de patiënt.'

Nikka sloeg haar hand voor haar mond en keek Vanderleyde verschrikt aan.

'Er is dus geen behandeling mogelijk?', vroeg Benders ontdaan.

'Helaas niet. Bij dit soort zeldzame ziektes is het commercieel niet interessant om op grote schaal onderzoek te doen. In China is een arts die experimenteert met het inspuiten van neuscellen van geaborteerde foetussen. Mijn Chinese collega gokt op het vermogen van neuscellen om beschadigde zenuwbanen te herstellen. In het westen is deze methode in zowel medisch als ethisch opzicht echter hoogst omstreden.'

'Heeft Vincent u hierover geraadpleegd?', vroeg Benders.

Vanderleyde knikte. 'Ik raadde het hem af, maar wist tegelijkertijd dat ik tegen dovenmansoren sprak. Vincent had zijn plan al getrokken.'

Benders keek de dokter onderzoekend aan. Hij vroeg zich af of het lot van Vincent Kooiman opwoog tegen de zorg om zijn dochter. 'Hebt u hierover ook met uw dochter gesproken?'

'Birgit verweet het me dat ik Vincent niet steunde. Ze vroeg mij om een bijdrage in de kosten, maar ik weigerde dat.'

'Hebt u een idee hoe Vincent dan aan het geld is gekomen om de behandeling te financieren?'

'Volgens Birgit heeft Walter gezegd, dat zijn broer dan maar bij de duivel te biecht moest. Ik heb nooit geweten wat ze daarmee heeft bedoeld, maar uw komst bezorgt mij nu bange vermoedens.'

*

Na tien minuten stilzwijgend over de N49 te hebben gereden, vroeg Nikka aan Benders waar hij aan dacht.

Benders wachtte met zijn antwoord tot hij een grote truck met oplegger was gepasseerd. 'Ik geloof dat het niet moeilijk te raden is waar ik aan denk', zei hij, zodra hij weer op de rechterrijstrook reed. 'Waarschijnlijk verschillen mijn gedachten nauwelijks met die van jou.'

'Vincent?'

'Dat lijkt me voor de hand liggen.'

'Denk jij wel eens aan andere dingen dan aan je werk?'

'Vanwaar deze vraag?'

'Waarom geef je niet gewoon antwoord?'

Benders keek haar een ogenblik van opzij aan. Hij vroeg zich af waar Nikka op uit was, maar tegelijkertijd voelde hij dat hij haar met deze vraag geen recht deed. 'Ik praat het gemakkelijkst over mijn werk,' bekende hij, 'maar het is niet zo dat ik nooit aan iets anders denk.'

'Dan verschil je daarin nauwelijks van andere mannen.'

'Is dat een compliment of een terechtwijzing?'

'Dat mag je zelf invullen.'

Ze reden zwijgend verder en werden gepasseerd door een ambulanceauto, waarvan de blauwe lichtstralen onheilspellend de lucht in zwaaiden.

'Ik moet je wat bekennen', begon Nikka, nadat de ambulance uit het zicht was verdwenen.

Benders minderde vaart. Hij vroeg zich af waar Nikka met deze opmerking naar toe wilde.

'Ik ben niet eerlijk tegen je geweest', vervolgde ze. 'Toen je mij de laatste keer naar huis bracht, was ik vastbesloten je mee naar binnen te vragen. Misschien had ik zelfs wel met je naar bed gewild, maar er gebeurde iets waardoor mijn stemming plotseling omsloeg.

Benders keek haar verward aan. 'Wat gebeurde er dan?'

Misschien klinkt het kinderachtig en achteraf vind ik dat ook, maar jouw opmerking over de trots op jouw dochter herinnerde mij aan mijn eigen dochter. Ik kan allesbehalve trots op haar zijn. De middag voor ons etentje kreeg ik voor de zoveelste keer een telefoontje uit Rotterdam. Mireille was weer eens opgepakt wegens diefstal. Ze is drugsverslaafde en financiert deze verslaving met prostitutie en diefstallen.'

Benders keek haar van opzij aan. Hij zocht naar woorden om

zijn begrip te tonen, maar kwam niet verder dan te zeggen dat hij het "klote" voor haar vond.

'Ik dacht eraan terug toen ik de moeder van Birgit ineen zag krimpen', vervolgde Nikka. 'Ik herkende dat gevoel. Ik reageerde op precies dezelfde manier toen mijn dochter voor de eerste keer van diefstal werd beschuldigd.'

'Ik heb Birgit niet van diefstal beschuldigd.'

'Je hebt haar integriteit in twijfel getrokken, dat is hetzelfde. Als je als ouder je kind niet meer kunt vertrouwen, gaat er iets in je kapot.'

'Dan wens ik de moeder van Birgit de komende tijd veel sterkte toe.'

'Wat bedoel je?'

'Er komt een moment waarop we haar moeten zeggen waarom Birgit de diefstal verzweeg .'

'Denk jij dat Birgit...?'

Benders knikte. 'Ik ben bang dat ze nog veel meer heeft verzwegen. Meer dan haar moeder in staat is te geloven.'

Bij zijn terugkomst op het bureau werd Benders in de hal staande gehouden door Kootstra. 'Loop even mee naar mijn kantoor', zei hij. 'Ik heb interessant nieuws voor je.'

Het viel Benders op dat er iets van triomf in de stem van de Friese rechercheur doorklonk, alsof hem een verheugende mededeling te wachten stond.

'Zoals je weet, heb ik met Otto Verberne gesproken', begon hij, zodra hij de deur van zijn kamer achter zich had gesloten.

Benders knikte. 'Dat is mij bekend ja, ik had dat liever zelf gedaan.'

Kootstra grijnsde. 'Verberne heeft een onthullende verklaring afgelegd', zei hij triomfantelijk. 'Hierdoor zijn wij in staat een internationaal georganiseerde bende autodieven op te rollen. Hij heeft zijn betrokkenheid bekend in de verwachting een mildere straf te krijgen voor de aanslag op jouw leven.'

'Heeft hij ook verklaard waarom hij het op mijn leven had gemunt?'

'Hij zei me bang te zijn dat jij hem verdenkt van de poldermoorden.'

'Waarom denkt hij dat ik hem daarvan verdenk?'

'Weet ik niet. Hij zei het.'

'Heb je hem , verdomme, daarover niet doorgevraagd?'

Kootstra ging zitten. 'Hij heeft een bekentenis afgelegd. Dat is wat voor mij telt.'

'Je weet dus niet waarom hij denkt dat ik hem van de poldermoorden verdenk?'

'Doe je dat dan?'

Benders keek op hem neer.'Dat doet er verdomme niet toe', snauwde hij. 'Het was jouw taak om erachter te komen waarom Verberne dat denkt.'

Kootstra keek hem verongelijkt aan. 'Wie denk je wel dat je bent?', beet hij Benders toe. 'Ik heb complimenten van Duitse en Zweedse collega's gekregen, omdat er door mijn toedoen een einde is gemaakt aan het slepend onderzoek naar die autodiefstallen en jij staat mij een beetje de les te lezen.'

Benders merkte dat hij hevig geïrriteerd begon te raken over zoveel onnozelheid bij zijn collega en besloot een einde aan het in zijn ogen onzinnige onderhoud te maken. Morgen zou hij hoogstpersoonlijk een verklaring eisen van de man die een aanslag op zijn leven had gepleegd.

18

De volgende dag zou Benders bijblijven als de alles beslissende dag in zijn onderzoek. Na een onrustige nacht, waarin hij werd geplaagd door slapeloosheid, was hij tegen het aanbreken van de ochtend in slaap gevallen.

Om vijf minuten over half acht schrok hij wakker door het doordringende geluid van zijn deurbel. Hij kwam onmiddellijk zijn bed uit en liep naar de voordeur. Door het kleine ronde raampje zag hij tot zijn verwondering dat het Nikka was.

Benders liep terug om een ochtendjas aan te trekken, haalde daarna de deur van het nachtslot en deed open. Hij keek de commissaris bevreemd aan en zag onmiddellijk aan haar gezicht dat ze een goede reden moest hebben om hem op dit tijdstip lastig te vallen.

'Kleed je onmiddellijk aan, Frank', begon ze gebiedend.

Benders deed zijn mond open, maar Nikka schudde haar hoofd. 'Geen vragen', zei ze beslist. 'Kleed je aan. Doe een kogelvrij vest aan en steek een wapen bij je. Ik leg het je straks allemaal uit. We hebben geen tijd te verliezen.'

Nog half slaperig zat Benders binnen vijf minuten naast de commissaris in haar zwarte BMW.

Nikka negeerde de snelheidsbeperking binnen het woonerf en reed zonder vaart te minderen over de verkeersdrempels.

'Je kunt het ook overdrijven', kon hij niet nalaten te zeggen.

Nikka reageerde niet op zijn opmerking, maar gebood hem zijn gordel om te doen.

Benders deed er het zwijgen toe. Hij had geen zin in een discussie op de vroege ochtend.

'Je zou me nog iets uitleggen', zei hij, zodra ze het woonerf verlieten.

'Guido Vanderleyde belde mij een kwartier geleden. Hij klonk nogal overstuur.'

'Gaan we naar Gent?'

Nikka schudde haar hoofd. 'We gaan naar Antwerpen. Vanderleyde heeft gisternacht zijn dochter aan de telefoon gehad. Vincent Kooiman is gestorven. Vanderleyde vertelde dat Walter en Birgit rond elf uur op het vliegveld aankomen. Hij belde zijn dochter om van haar te horen of zij iets wist over de vermiste Volvo, maar ze was nauwelijks aanspreekbaar.'

Benders was plotseling klaarwakker. 'Vincent is gestorven?', vroeg hij ongelovig.

Nikka knikte. 'Tijdens de operatie zijn er complicaties opgetreden.'

'Mijn God. Wat verschrikkelijk.'

'Vanderleyde betreurde de dood van Vincent, maar zei ook opgelucht te zijn dat hem een verdere aftakeling bespaard is gebleven.'

Benders staarde naar buiten. Hij kon nauwelijks geloven wat Nikka hem zojuist had verteld. Hij dacht terug aan het moment dat hij Vincent voor de eerste keer ontmoette. Een weerbarstig karakter. Opstandig. Maar daar had hij - zoals was gebleken - reden toe. Wanneer je bericht kreeg dat jouw jonge leven door zo een lamlendige ziekte niet lang meer zou duren, had je reden om opstandig te zijn. Vincent verachtte zijn stiefmoeder. Benders herinnerde zich zijn woedende blik, nadat hij had geweigerd hem de foto van zijn natuurlijke moeder te geven. Hij was daar razend over. Er was zelfs een moment geweest, dat Benders dacht dat Vincent hem aan zou vallen.

'Waar denk je aan?', onderbrak Nikka zijn gedachten.

'Ik dacht terug aan het moment dat ik Vincent voor de eerste keer ontmoette.'

'Wat was toen jouw indruk?'

'Eerlijk gezegd vond ik het nogal een huftertje.'

'Waarom vond je dat?'

'Hij toonde weinig respect voor zijn vermoorde stiefmoeder, dat stoorde mij nogal.'

'Ik hoor aan je stem dat je daar nu anders over denkt. Klopt dat?'

'Ja, dat klopt. Ik neem het me zelf kwalijk dat ik te vroeg was met mijn oordeel.'

Nikka knikte en zei dat ze dat wel begreep.

Daarna ging de telefoon. Nadat de commissaris haar naam had genoemd, hoorde hij iemand vragen wat er precies van hen werd verwacht.

'Jullie komen alleen in actie als ik het sein daartoe geef', antwoordde Nikka kalm. 'Tot zover doen jullie niets.'

De beller reageerde met een instemmend gemompel en verbrak de verbinding.

'Ik heb het arrestatieteam vooruitgestuurd met de opdracht bij escalatie in te grijpen', verklaarde Nikka. 'We kunnen niet voorzichtig genoeg zijn.'

'Wat ben je dan in godsnaam van plan?'

'We gaan Walter Kooiman arresteren op verdenking van moord op zijn vader en zijn stiefmoeder en het doorrijden na een aanrijding met dodelijke afloop.'

'Rot op, Nikka. Dit is belachelijk. We hebben niets.'

'We hebben alles, Frank', zei Nikka kalm. Ze gaf richting aan om de invoegstrook naar de A7 te verlaten.

Benders zag dat de commissaris wist waarover ze sprak. Wat haar betrof was er blijkbaar geen sprake van iets belachelijks.

'Gisterenmiddag kwam Kootstra zich bij mij beklagen over jouw gedrag', veranderde ze van onderwerp. 'Je had hem volgens hem onterecht de les gelezen.'

'Er is geen sprake van onterecht. Kootstra heeft geblunderd, maar daar hadden we het nu niet over. Ik wil van jou weten waarom jij er zo zeker van bent dat Walter de dader is.'

'Dat wilde ik je juist duidelijk maken', verweerde Nikka zich. 'Maar dan moet je me niet onderbreken.'

'Oké, ik luister.'

'Nadat Tjeerd zijn beklag had gedaan, zei ik hem dat ik het met jou eens was. Dat hij er inderdaad achter had moeten komen waarom Verberne vreest dat jij hem verdenkt van de poldermoorden. Doe je dat overigens?'

'Geen seconde.'

Nikka grijnsde. Alsof zijn antwoord haar vermaakte. 'Ik heb Kootstra weggestuurd met de boodschap dat hij zijn huiswerk over moest doen', vervolgde ze. 'Hij nam mij dat niet in dank af, maar gaf toch gehoor aan mijn opdracht. Het resultaat was verbijsterend.'

De telefoon ging voor de tweede keer. Benders verbeet zijn ergernis over de onderbreking en luisterde gelaten naar de boodschap dat het vliegtuig, waarmee Birgit en Walter zouden aankomen, over precies drie uur zou landen.

'Dan moeten we verdomme opschieten', zei Benders. Hij wees naar de kilometerteller die op negentig stond en sommeerde Nikka het gaspedaal in te drukken. 'Wat was er zo verbijsterend?', vroeg hij, zodra de teller op honderdveertig stond.

'Verberne heeft bekend Colin Rigby te hebben vermoord. Rigby was erachter gekomen dat de bestuurder van de Volvo zijn zoon had doodgereden en dreigde met dat verhaal naar de politie te gaan. Verberne voelde zich in het nauw gedreven en vertelde Sune Boman over het voornemen van Rigby. Boman gaf Verberne toen de opdracht Rigby te vermoorden. Dat hij jou ook op zijn dodenlijst had staan, had alles te maken met zijn vermoeden dat jij hem als dader op het spoor was. Tijdens zijn vlucht na de moord op Rigby had hij een glimp van jouw aanwezigheid opgevangen. Hij dacht dus dat jij getuige was van de moord op Rigby.'

De snelheidsmeter was inmiddels opgeklommen tot honderdzeventig. Ze reden op de linkerrijstrook. Nikka zat gebogen over het stuur en toeterde luid toen een Fiat Panda aanstalten maakte om een vrachtwagen te passeren.

'Alles goed en wel', zei Benders. 'Maar wat heeft de arrestatie van Kooiman te maken met de bekentenis van Verberne?'

Nikka schudde haar hoofd. 'Dat word je straks wel duidelijk, Frank', zei ze gespannen. 'Ik moet me nu op de weg concentreren.'

Ze waren precies op tijd. Eigenlijk verliep de arrestatie heel vanzelfsprekend. Alsof Walter er rekening mee had gehouden, dat hij zou worden aangehouden. Hij liet zich zonder protesten meevoeren.

Benders keek naar de verslagen uitdrukking op zijn gezicht, maar begreep dat zijn verslagenheid niets te maken had met zijn arrestatie. Drie dagen geleden had hij zijn broer verloren. De prijs die hij bereid was geweest te betalen was hoog. Té hoog, zoals was gebleken.

Benders hoefde hem nauwelijks te dwingen achterin plaats te nemen. Nadat hij had toegestaan dat hij uitgebreid afscheid van Birgit nam, stapte hij gewillig in.

Birgit ging met haar vader mee. Zij zou later een verklaring afleggen.

Toen ze een aantal kilometers op weg waren, begon Walter zonder aansporing zijn verhaal.

'Vincent vroeg me die avond om hulp. Hij had geld nodig voor zijn behandeling. Veel geld. Geld dat ik niet voor hem had. Pogingen om geld te lenen waren gestrand. Er bleef nog maar één mogelijkheid over, maar dan zouden we bij de duivel te biecht moeten.

We haatten onze vader, maar hadden geen keus. Mijn vader moest worden overtuigd van de noodzaak. We spraken af dat ik het hem zou vragen. Ik reed naar Oostdorp met de auto van Birgit. Het was half twaalf. Er brandde nog volop licht. Ik wist dat de achterdeur nog open zou zijn en besloot gewoon naar binnen te gaan.

Eenmaal in de keuken liep mijn vader me tegemoet. Ik zag gelijk aan hem, dat hij niet van plan was mij verder te laten komen. Hij bleef in de deuropening staan en zei me dat hij juist van plan was om naar bed te gaan en dat ik zijn huis onmiddellijk moest verlaten. Dat was een slecht begin. Toen had ik al moeten weten dat het verkeerd zou eindigen.

Ik smeekte hem te willen luisteren en zei hem dat ik voor Vincent kwam en dat het een zaak van leven of dood was.

Nadat ik was uitverteld, lachte hij me uit. Ondertussen was zijn vrouw achter hem komen staan. "Wat moet hij van je?", vroeg ze aan mijn vader.

Mijn vader antwoordde niet, maar keek me spottend aan. "Denk maar niet dat dat mietje ook maar één dubbeltje van me krijgt."

Mijn stiefmoeder begon te lachen. Zo'n hatelijke, alles vernietigende lach. Wat er daarna gebeurde, kan ik nauwelijks verklaren. Voordat ik het wist, had ik het vleesmes te pakken. Vader deinsde achteruit. Hij stuurde de hond op mij af. Binnen vijf seconden was het gebeurd.'

Er volgde een stilte. Het viel Benders op dat Walter zijn verhaal zonder haperen had verteld. Alsof hij het had gerepeteerd en de tekst uit zijn hoofd had geleerd.

'Wat gebeurde er daarna?', onderbrak hij de korte stilte.

'Ik ben terug naar mijn woonboot gereden. Urenlang hebben Vincent en ik gepraat. Ik wilde mezelf aangeven, maar de gedachte dat Vincent daarmee niet geholpen zou zijn, weerhield mij daarvan.

Uiteindelijk besloot ik terug te gaan. Ik heb de sporen verwijderd, het raam van de keukendeur van buitenaf ingeslagen en de brandkast gekraakt. Daarna ben ik teruggereden. Ik koos voor de polder, om de kans te worden gezien te verkleinen. Daar zag ik de krantenjongen te laat. Ik kon hem niet meer ontwijken.'

'Maar u had wel kunnen stoppen.'

'Dat had ik ook moeten doen, maar ik zag een vrouw in de deuropening staan. Ik wilde niet het risico lopen, dat zij de gelegenheid kreeg om het nummer van de auto te noteren. Ik rekende erop dat zij hulp zou bieden.'

'Goed, u bent vervolgens weer naar huis gereden en besefte daarna dat u van de Volvo af moest. Hoe hebt u dat gedaan?'

'Ik heb nog diezelfde ochtend mijn zwager gebeld. Otto is een rat. Maar soms zijn ratten nuttige beesten. Ik wist met welke praktijken hij zich bezighield en bood hem de Volvo aan met het verzoek deze zo snel mogelijk te laten verdwijnen.'

Daarna reden ze zwijgend verder. In afwachting van de voorgeleiding zou Walter naar het huis van bewaring worden gebracht, maar Benders twijfelde nog aan een voorgeleiding. Hoe beslist Walter ook had geklonken, hij was nog niet overtuigd. Morgen zou hij meer weten.

19

Het was tien uur in de morgen. Buiten was het al aangenaam warm. Het beloofde een mooie lentedag te worden. Uit de kastanjebomen die Nikka en Benders passeerden, steeg een luid gekwetter van het spreeuwenvolk op.

Benders stapte met gemengde gevoelens naar het huis van bewaring. Nikka liep naast hem. 'Ben je nerveus?', vroeg ze hem.

'Ik ben wel wat gespannen', bekende Benders. 'Het is nieuw voor mij om een verdachte te confronteren met zijn onschuld in de wetenschap, dat hij me dat niet in dank af zal nemen.'

Tot laat in de nacht waren ze gisteren bezig geweest om de onschuld van Walter boven water te krijgen. Teulings had hem laten weten dat er op naam van Walter Kooiman nooit een kentekenregistratie had plaatsgevonden. Na informatie bij het CBR was helder geworden dat hij niet in het bezit van een rijbewijs was, en ook nooit was geweest. Dat hij in de Volvo had gereden werd daarmee zeer twijfelachtig.

Daarna waren ze naar Antwerpen gereden. Aanvankelijk wilde Birgit het verhaal van haar geliefde bevestigen, maar toen Nikka haar confronteerde met het vooruitzicht dat haar kind de eerste twaalf jaar zonder vader op zou groeien brak ze. Het verhaal, dat ze daarna vertelde, was zowel onthullend als verbijsterend tegelijk.

Walter Kooiman zat tegenover Benders en Nikka aan tafel. Zijn ogen stonden waakzaam, alsof hij wist dat er een aanval zou volgen op zijn bekentenis.

Benders dacht terug aan het moment, dat hij de man voor de eerste keer ontmoette. Een man die moeilijk was te doorgronden. Een vreemde. Maar nu duidelijk was waarom Kooiman zijn ziel niet bloot wilde leggen, begreep hij zijn houding en kon er zelfs begrip voor opbrengen.

'Door alle commotie ben ik vergeten u te condoleren', begon Benders. 'Het moet een hele slag voor u zijn.'

Walter knikte. 'Dat is het ook', zei hij. 'Vincent verdiende dit niet.'

'Was u er bij toen hij stierf?'

'Nee.'

We hebben voor dit bezoek Birgit nog gesproken. Ik wil u nog gelukwensen met uw aanstaande vaderschap.'

Kooiman knikte zwijgend. Benders zag dat er bij het noemen van de naam Birgit een bezorgde uitdrukking op zijn gezicht verscheen.

'Misschien een rare vraag, meneer Kooiman', vervolgde hij. 'Maar bent u gelovig?'

'Ik geloof in gerechtigheid. Ik wil gestraft worden voor wat ik heb aangericht.'

'Dan bent u een nobel mens. Mijn ervaring met verdachten is, dat ze zich meestal in alle bochten wringen om hun onschuld aan te tonen.'

'Ik zou graag mijn verklaring willen bevestigen.'

'Daar heb ik begrip voor, maar ik wil eerst nog een paar zaken met u doornemen.'

'Ik heb u toch alles verteld.'

Benders schudde zijn hoofd. 'Bijna alles', zei hij. 'Er ontbreken nog een paar antwoorden.' 'Zoals?'

'Het is mij bijvoorbeeld nog niet duidelijk waarom u en niet Vincent naar uw vader ging. Tenslotte was het zijn probleem.'

'Vincent durfde niet. Mijn vader had hem al een keer de deur gewezen.'

'Waarom zou Vincent niet hebben gedurfd? Hij had toch niets te verliezen?'

'Als oudere broer zag ik het als mijn taak het voor hem op te nemen.'

Benders knikte. 'Dat is ook zo', zei hij. 'Ik zei het al eerder. U bent een nobel mens.'

'Ik voelde me verantwoordelijk. Dat is alles.'

'Als aanstaande vader had u eerder moeten bedenken wat de gevolgen konden zijn. Er wacht u nu een gevangenisstraf van minstens twaalf jaar. Uw kind zal een vreemde voor u zijn als u vrij komt.'

'En blijven', vulde Nikka aan.

Kooiman drukte de knokkels van zijn rechterhand tegen zijn mond. Benders kon zien dat hij vocht tegen zijn emoties.

'Waarom vertel je ons gewoon de waarheid niet, Walter', vervolgde Nikka. 'Je moet het niet willen, dat de tweede kans op een vaderschap aan je voorbijgaat.'

'Godverdomme! Heeft.....'

'Birgit heeft ons alles verteld, ja. Neem je verantwoording, Walter. Trek je verklaring in en ga voor die tweede kans. Ik ben ervan overtuigd, dat je een fantastische vader bent.'

In de stilte die volgde, vroeg Benders zich af wat er zou komen. Er gingen seconden voorbij, waarin Walter onophoudelijk met zijn vuisten op tafel sloeg, alsof hij daarmee zijn opkomende tranen een halt wilde toeroepen.

'Ik was zestien', begon hij ten slotte. 'Vader en moeder waren naar de kerk. Ik lag in bed. Ik had haar niet binnen horen komen.'

'Met haar bedoel je Bea?', vroeg Benders.

Walter knikte. 'Bea was de zus van mijn moeder. Later werd ze mijn stiefmoeder.'

'Werd je gedwongen?'

'Bea was vijfentwintig. Ze was een mooie vrouw. Ik fantaseerde over haar. Ineens werd mijn fantasie werkelijkheid. Ik kon daar geen weerstand tegen bieden.'

'Hoe oud was je toen je erachter kwam dat Vincent je zoon was?'

'Veel later pas. We woonden in een streng gereformeerde gemeente. Een ongehuwde moeder gold in onze kringen nog als een schande. Er volgde familieberaad waarin werd besloten, dat Vincent zou worden grootgebracht binnen ons gezin. Zeven jaar later stierf mijn moeder. Niet lang daarna trouwde mijn vader met Bea. Ik was toen drieëntwintig en besloot zelfstandig te gaan wonen. Vlak voor ik vertrok probeerde ze het weer bij me, zoals ze het bij vele mannen probeerde. Bea was nymfomaan. Dit keer weigerde ik. Ik zei haar dat ze naar de hel kon lopen. Ze werd woedend en dreigde mijn vader te vertellen, dat ik de vader van Vincent was. Ik wist niet wat ik hoorde. Mijn wereld stortte in.'

'Heb je het Vincent ooit verteld?'

'Nee. Dat kon ik niet. Maar ik heb wel altijd in de angst geleefd, dat zij vroeg of laat haar mond voorbij zou praten.'

'En dat gebeurde dan ook?'

Walter knikte. 'Op die bewuste avond, ja. Nadat Vincent vader om hulp had gesmeekt, lachte Bea hem uit. "Ga dat maar aan je eigen vader vragen", liet ze hem weten. Bij Vincent moeten toen alle stoppen zijn doorgeslagen.

Benders knikte. Hij legde zijn hand over de vuist van Walter en herinnerde zich het bizarre moment in het mortuarium. Eindelijk begreep hij waarom.

****

Uit het crime-fonds van Uitgeverij Ellessy:

De nacht van de wolf, Sandra Berg (2002)
Onder de oppervlakte, Sandra Berg (2004)
Nephila's netwerk, Marelle Boersma (2005)
Roerend goed, Ina Bouman (2004)
Bij verstek veroordeeld, M.P.O. Books (2004)
De bloedzuiger, M.P.O. Books (2005)
Gedragen haat, M.P.O. Books (2006)
Jacht op de Jager, John Brosens (2004)
Duijkers dossiers, John Brosens (2005)
Superjacht, James Defares (2004)
De beloning, James Defares (2006)
Het rode spoor, Ivo A. Dekoning (2001)
Perzikman, Frans van Duijn (2002)
Engel, Frans van Duijn (2003)
Maniak, Frans van Duijn (2004)
Eigen richting, Jan van Hout (1997)
In andermans huid, Jan van Hout (2000)
Dummy, Jan van Hout (2001)
Frontstore, Jan van Hout (2003)
Coke en gladiolen, Will Jansen (2001)
Het teken van de uil, Berend Jager (2005)
Vanwege de hond, Tom Kamlag (2004)
Het witte paard, Tom Kamlag (2006)
Bloed op het Binnenhof, Martin Koomen (2004)
Kleine koude oorlog, Martin Koomen (2006)
De connectie, Jan Kremer (1997)
De ingreep, Jan Kremer (1999)
De misleiding, Jan Kremer (2003)
Leugens!, Guido van der Kroef (1999)
Waanzin!, Guido van der Kroef (2000)
Hebzucht!, Guido van der Kroef (2001)